Penelope Crumb

N'OUBLIE JAMAIS

Penelope Crumb

N'OUBLIE JAMAIS

SHAWN K. STOUT

illustrations par Valeria Docampo

Traduit de l'anglais par
Patricia Guekjian

Éditeur : François Doucet
Traduction : Patricia Guekjian
Révision linguistique : Féminin pluriel
Correction d'épreuves : Nancy Coulombe, Catherine Vallée-Dumas
Montage de la couverture : Sylvie Valois
Illustrations de la couverture et de l'intérieur : Valeria Docampo
Mise en pages : Sylvie Valois
ISBN papier : 978-2-89733-397-3
ISBN PDF numérique : 978-2-89733-398-0
ISBN ePub : 978-2-89733-399-7
Première impression : 2013
Dépôt légal : 2013
Bibliothèque et Archives nationales du Québec
Bibliothèque Nationale du Canada

Éditions AdA Inc.
1385, boul. Lionel-Boulet
Varennes, Québec, Canada, J3X 1P7
Téléphone : 450-929-0296
Télécopieur : 450-929-0220
www.ada-inc.com
info@ada-inc.com

Diffusion
Canada :   Éditions AdA Inc.
France :   D.G. Diffusion
                    Z.I. des Bogues
                    31750 Escalquens — France
                    Téléphone : 05.61.00.09.99
Suisse :   Transat — 23.42.77.40
Belgique :   D.G. Diffusion — 05.61.00.09.99

Imprimé au Canada   SODEC

Participation de la SODEC.

Nous reconnaissons l'aide financière du gouvernement du Canada par l'entremise du Fonds du livre du Canada (FLC) pour nos activités d'édition.

Gouvernement du Québec — Programme de crédit d'impôt pour l'édition de livres — Gestion SODEC. Catalogage avant publication de Bibliothèque et Archives nationales du Québec et Bibliothèque et Archives Canada

Stout, Shawn K.
       [Penelope Crumb : Never Forgets. Français]
       N'oublie jamais
       (Penelope Crumb ; 2)
       Traduction de : Penelope Crumb : Never Forgets.
       Pour les jeunes de 8 ans et plus.
       ISBN 978-2-89733-397-3
       I. Guekjian, Patricia. II. Titre. III. Titre : Penelope Crumb : Never Forgets. Français.
PZ23.S76No 2013   j813'.6   C2013-941870-9

Pour ma sœur

1.

À part le cours d'art de mademoiselle Stunkel, je n'aime qu'une autre chose de la quatrième année. Les sorties scolaires. Mademoiselle Stunkel les appelle des « sorties éducatives », mais je me moque de comment elle les appelle tant qu'on puisse être à l'extérieur de l'école et qu'on n'ait pas à apprendre les signes décimaux.

Le but éducatif de la sortie d'aujourd'hui est d'apprendre l'histoire de Portwaller et pas de faire l'andouille ni d'agir comme des crétins. Ce que mademoiselle Stunkel nous répète cent fois de son siège à l'avant de l'autobus. Elle reste debout pendant tout le voyage, à caresser sa broche de lézard du vendredi aux yeux en rubis et à attendre que l'un de nous lui donne la chance de hurler.

Pendant qu'elle fait tout ce surplace, je remarque que ses pieds ne sont pas derrière la ligne jaune, même si l'enseigne au-dessus de la tête du conducteur d'autobus mentionne : PAR MESURE DE SÉCURITÉ, RESTEZ DERRIÈRE LA LIGNE JAUNE LORSQUE L'AUTOBUS EST EN MOUVEMENT.

— Pourquoi mademoiselle Stunkel ne s'assoit pas ? dis-je à ma meilleure amie, Patsy Cline Roberta Watson. Monsieur Drather devrait le lui rappeler. Peut-être que je devrais le rappeler à monsieur Drather.

Patsy Cline me dit de me taire et que monsieur Drather n'a pas le temps de surveiller la ligne jaune pendant qu'il se concentre à conduire l'autobus.

— Tu vas t'attirer des ennuis. Souviens-toi de ce qui s'est passé la dernière fois, dit-elle.

Elle parle de notre dernière sortie éducative au fort McHenry. Je montais les marches du fort deux à la fois, même si elles étaient hautes et mademoiselle Stunkel a crié :

— Penelope Crumb, les rampes sont là pour une raison ! Je ne te le dirai pas encore !

Même si 1) elle n'avait pas besoin de crier et 2) elle n'aurait pas dû dire « encore » parce que c'était vraiment la première fois qu'elle me le disait. Mais si j'avais tenu la rampe, j'aurais été coincée derrière des personnes lentes comme Vera Bogg, qui ne sait pas comment s'amuser dans les marches ; donc, j'ai fait semblant de ne pas entendre mademoiselle Stunkel. Je suis très douée pour faire semblant.

— C'est exactement ce que je veux dire, dis-je à Patsy Cline. Ce n'est pas de ma faute si mademoiselle Stunkel a essayé de me rattraper et qu'elle est tombée dans les marches et qu'elle s'est foulé le genou.

Patsy Cline me regarde en secouant la tête.

— Toi et mademoiselle Stunkel vous êtes comme des bonbons haricots et des haricots rouges. Vous êtes des haricots toutes les deux, mais vous n'allez pas bien ensemble du tout.

— Je m'en fais juste pour sa sécurité, dis-je.

Patsy me lance un regard qui veut dire « Tu vas recevoir un autre billet à apporter à la maison ».

Sapristi. Donc, je ne dis rien à monsieur Drather parce que si mademoiselle Stunkel ne sait pas que les sièges dans l'autobus sont là pour une raison, ce n'est pas moi qui vais le lui dire.

Monsieur Drather dirige l'autobus dans le stationnement à l'arrière du musée et coupe le moteur. Il y beaucoup de vacarme lorsque tout le monde se lève, parce qu'on est fatigués d'être confinés dans l'autobus et on a hâte de regarder les choses de beaucoup de personnes mortes. Car les musées en sont remplis.

Je saisis mon coffre à outils rouge et pousse Patsy Cline vers l'allée.

Mademoiselle Stunkel dit :

— On ne bouge plus !

L'autobus devient immédiatement silencieux. Patsy Cline suit toujours les directives ; donc, elle s'arrête comme si une machine l'avait aspergée de glace, un pied toujours figé dans les airs. Mais son autre pied ne se fige pas aussi bien, parce qu'il commence à trembler, et j'ai peur qu'elle tombe ; donc, je lui saisis le bras et je tire. (Parce que c'est ce que font les meilleures amies.)

Sauf que mes muscles doivent être plus puissants que je pensais, parce que Patsy chute directement sur moi. Ainsi, elle me fait tomber vers l'arrière contre la fenêtre. Lorsque ça se produit, je lâche mon coffre à outils, il frappe le bord du siège et tombe par terre.

Je ne sais pas de quoi est fait le plancher de l'autobus, mais lorsque le métal de mon coffre à outils le frappe, ça

fait un son atroce. Pour une quelconque raison, mademoiselle Stunkel regarde directement vers moi et Patsy Cline. Je fais une face qui veut dire « Je l'ai entendu aussi, mais je ne sais pas d'où vient ce son ». Mais, ça ne fonctionne pas, parce que mademoiselle Stunkel me lance un regard qui dit : « Tu penses tromper qui, la p'tite. »

Puis, mademoiselle Stunkel s'éclaircit la voix et dit :

— Le Musée d'histoire de Portwaller est un établissement professionnel, et je m'attends à ce que chacun de vous se comporte convenablement.

Elle sort la main de la poche de sa robe en velours côtelé et lève un doigt en guise d'avertissement.

Je connais ce doigt. Je l'ai vu de proche. Il est maigre sauf pour les jointures, un peu comme une cuisse de poulet qui a été bouillie, mâchée et ensuite trempée dans du vernis à ongles orange.

— Parce que si votre comportement n'est pas convenable, dit-elle en regardant toujours vers moi et Patsy Cline, vous aurez le plaisir de passer le reste de la journée dans l'autobus.

Mademoiselle Stunkel est vraiment douée pour enlever tout le plaisir des sorties.

Patsy Cline est encore figée, même après que mademoiselle Stunkel nous dit enfin qu'on peut sortir de l'autobus.

— Ça va, tu peux bouger maintenant, lui dis-je.

Mais elle ne bouge pas.

— Qu'est-ce qu'il y a ?

— Pourquoi tu m'as tirée ? demande-t-elle.

5

Et ses mots sont lourds comme des roches.

— Je pensais que tu allais tomber.

— Tu m'as *fait* tomber, dit-elle. Et là, on s'est attiré des ennuis.

— On ne s'est pas attiré d'ennuis.

S'attirer des ennuis avec mademoiselle Stunkel, c'est pire que juste voir son doigt. Puis, je me rappelle que Patsy Cline n'a jamais d'ennui, ni avec mademoiselle Stunkel ni avec qui que ce soit ; donc, elle ne sait pas à quoi ressemblent les vrais ennuis. Je lui dis que je suis désolée de lui avoir tiré le bras, mais elle dit seulement « humpf », et puis rien d'autre.

On est les dernières à entrer dans le musée. Le Musée d'histoire de Portwaller a des plafonds hauts avec des motifs peints, des tourbillons qui se transforment en fleurs et ensuite encore en tourbillons. Je pourrais les regarder toute la journée. Et j'allais le faire, sauf qu'après un bout de temps, j'ai une crampe dans le cou et quand je regarde enfin vers le bas, je suis un peu étourdie. Mes jambes se déplacent vers le côté quand elles sont censées aller vers l'avant, et, avant que je puisse les maîtriser, je fonce droit sur Vera Bogg. Son coude osseux me frappe directement dans l'estomac.

Vera, qui est toujours vêtue de rose de la tête au bout des orteils, le genre de rose qui me fait sentir comme une saucisse crue et aussi comme un cochonnet qui fait de la fièvre, gémit et se saisit la jambe comme si elle était blessée, même si je ne vois pas comment elle pourrait l'être. Je lui dis quand même que je suis désolée et je lui explique pour les tourbillons.

Patsy Cline dit :

— Tu devrais regarder où tu vas.

Tout d'abord, je pense qu'elle parle à Vera, mais ensuite elle donne une petite tape sur l'épaule de Vera et lui demande si elle va bien. C'est là que je comprends qu'elle me parlait.

Eh bien.

Après que Vera s'est éloignée en boitant, j'approche l'épaule de Patsy, parce que si elle donne des petites tapes sur les épaules, je devrais en recevoir une aussi. Étant donné que je suis sa meilleure amie et tout ça.

Mais, je n'en reçois pas.

Au lieu de cela, Patsy me tourne le dos et va rejoindre les autres de notre classe qui tournent autour d'un présentoir en verre.

Je me faufile à côté d'elle et je regarde. La première chose que je vois est un peigne, dans lequel il reste un cheveu gris, qui appartenait à Maynard C. Portwaller. C'est le gars mort qui a découvert notre ville et qui a décidé de lui donner son nom, Portwaller. C'est ce qui est écrit sur la carte à côté du peigne.

Je mets mon coffre à outils dans mon autre main et je presse le visage contre le présentoir en verre. Je regarde fixement la seule chose qu'il reste de Maynard C. Portwaller.

— Saviez-vous que les cheveux continuent à pousser même après notre mort?

Tout le monde gémit et grogne comme si j'avais dit quelque chose de dégoûtant. Puis, mademoiselle Stunkel dit :

— C'est *vraiment* assez Penelope, en mettant l'accent sur le « vraiment ».

Elle n'aime vraiment pas ça quand je parle de choses mortes. Mais je ne suis pas douée pour me taire. J'imagine que c'est parce que j'ai un papa qui est mort et enterré et un grand-papa que je pensais mort et enterré, mais qui finalement ne l'est pas.

Et comment je suis censée ne pas parler de choses mortes lorsque c'est rempli de choses de personnes mortes droit devant moi ? C'est ce que je décide de demander à mademoiselle Stunkel après qu'on a fini de regarder le cheveu gris de Maynard C. Portwaller (qui se trouve aussi être…).

Mais mademoiselle Stunkel dit :

— Ne me pousse pas trop, Penelope Crumb.

Et je dis :

— Je ne ferais jamais ça, mademoiselle Stunkel. Vous pourriez tomber et vous fouler le genou.

Et là, mademoiselle Stunkel me lance un regard qui dit qu'elle aimerait beaucoup *me* pousser. En bas d'une falaise.

Entre mademoiselle Stunkel et Patsy Cline, cette sortie éducative ne va pas si bien. J'aurais mieux fait d'apprendre les signes décimaux.

2.

— *L*e premier maire de Portwaller, Charles Luckett, dit mademoiselle Stunkel en désignant un tableau d'un homme avec un haut chapeau brun et des lunettes rondes à monture métallique.

Je me mets très près pour regarder son nez. C'est quelque chose que j'aime faire parce que moi, Penelope Crumb, j'ai un très gros nez que j'ai eu de mon grand-papa Felix.

Le nez du maire Luckett n'est pas gros. Il est court et plat, et petit pour sa tête. Un peu comme si son nez était resté en quatrième année et que le reste de sa figure avait vieilli et était allé à l'université. Mais son nez est la *seule* chose qui est petite chez lui. Si monsieur Léonard de Vinci (qui est mon artiste mort préféré) était ici, il dirait sans aucun doute : « Je crois bien ne jamais avoir vu des boutons de chemise travailler aussi fort. L'honorable maire semble être le genre d'homme qui aime beaucoup les tartelettes aux fraises. »

Je me demande si le maire Luckett était fier de sa grosse bedaine ou s'il pensait que le peintre aurait dû lui donner une apparence un peu plus mince. Lorsque je serai grande et une artiste vraiment connue, je vais dessiner les gens exactement comme ils sont : gros ventres, gros nez et tout.

Il y a une petite étagère en bois juste à côté du tableau du maire Luckett, et sur cette étagère, perchée sur un coussin en velours, se trouve une paire de lunettes qui est exactement comme celle sur le tableau.

— Ça ne peut pas être ses vraies de vraies lunettes, dit Angus Meeker.

— Pourquoi pas ? demandé-je.

— Parce qu'il aurait porté ses vraies de vraies lunettes quand il est mort.

Angus ne sait rien sur les personnes mortes.

— Pas s'il est mort pendant son sommeil, dis-je. Par conséquent, il ne les aurait pas.

(« Par conséquent » est une nouvelle expression que j'ai apprise de mon grand-papa Felix. Il m'apprend continuellement de nouvelles choses.)

Mademoiselle Stunkel me lance un regard qui dit : « Je t'ai assez entendue, Penelope Crumb, par conséquent, tais-toi. » Puis, elle dit à la classe entière qu'elles sont en réalité les vraies lunettes du maire Luckett et qu'elles ont été prêtées au musée par sa famille.

— Est-ce que sa famille pourra récupérer ses lunettes un jour ? demandé-je.

— Elles appartiennent encore à la famille du maire, explique mademoiselle Stunkel. Les lunettes sont maintenant au musée parce que la famille voulait que les citoyens de Portwaller puissent les voir quand ils le désiraient.

Je serre ma prise sur mon coffre à outils. Il appartenait à mon père, qui est mort et enterré, et je sais que je ne pourrais jamais le donner à un musée. Même pas son chausse-pied, qui est la seule autre chose que j'ai qui lui appartenait. Et si quelque chose leur arrivait ?

Et là, comme si mademoiselle Stunkel pouvait lire dans mes pensées, elle dit :

— Il y a quelques années, le musée a pris feu et plusieurs articles précieux, y compris quelques-unes des plus vieilles photos de Portwaller, ont été perdus.

— Vous voulez dire « partis pour toujours » ? dis-je.

Mademoiselle Stunkel touche sa broche lézard du vendredi.

— Ils n'ont rien pu faire pour les sauver, malheureusement. Mais grâce aux dons de quelques citoyens très généreux de Portwaller, l'immeuble a été réparé. Vous avez peut-être remarqué la boîte de dons à l'entrée.

Je serre le coffre à outils sur ma poitrine et je souhaite que « parti pour toujours » ne veuille pas tout le temps dire « parti pour toujours ».

— Continuons, dit mademoiselle Stunkel en se frottant les mains ensemble. Nous voulons garder du temps pour la boutique de souvenirs !

La prochaine chose exposée est une paire de chaussures, une clé rouillée aussi grosse que ma main et une assiette cassée. Une carte miniature devant chacun des articles mentionne son âge et explique son importance pour être dans un musée. Voici ce qui y est écrit :

CHAUSSURES DE FEMME, VERS 1889

CLÉ DE LA PRISON DE PORTWALLER, 1911

ASSIETTE APPARTENANT À LA FAMILLE DE WALTER P. FINNBROOK. ON CROIT QU'ELLE A ÉTÉ UTILISÉE PAR THOMAS JEFFERSON, LE TROISIÈME PRÉSIDENT DES ÉTATS-UNIS, LORS D'UNE GRANDE FÊTE AU DOMAINE FINNBROOK, VERS 1819.

Je glisse la main le long des présentoirs en verre, en étudiant toutes les choses à l'intérieur tout en essayant d'imaginer les personnes à qui elles appartenaient. Dans le présentoir suivant, il y a des vêtements de bébé qui ont plus de cent ans, selon la carte. À côté, un ourson en peluche auquel il manque les deux yeux, une oreille, de la fourrure et qui est vraiment en mauvais état n'est pas si différent du chien de Patsy Cline, Roger, l'été dernier lorsqu'il avait attrapé la gale.

Je ne peux pas m'empêcher de me demander ce qui est arrivé à ce bébé et pourquoi elle a oublié cet ourson miteux. Et comment le musée a-t-il fait pour l'avoir ? Je serre la poignée de mon coffre à outils un peu plus fort.

— Où est le reste des vêtements et des jouets du bébé ? demandé-je. Qu'est-ce qui leur est arrivé ?

Mais mademoiselle Stunkel et tous les autres de ma classe, y compris Patsy Cline, ont poursuivi leur chemin et m'ont laissée seule avec l'ourson miteux et les choses de toutes les autres personnes mortes. Le silence règne dans la salle. Un silence de mort. Même sans yeux, cet ourson me lance un regard qui veut dire « Où sont partis les autres ? ».

Il y a une rangée entière de présentoirs que nous n'avons pas encore vus. Beaucoup de choses — des choses spéciales et importantes, probablement — qui appartenaient à de vraies personnes. Des personnes que tout le monde a oubliées. Et voici quelque chose d'autre que je sais : lorsqu'on oublie les personnes mortes, c'est comme si elles n'avaient jamais été ici.

Je me rends à pas lourds à la boutique de souvenirs du musée, où je trouve le reste de ma classe. Deux garçons s'amusent à se piquer avec des baïonnettes en jouet de la guerre de Sécession. D'autres hésitent entre un jeu de cartes qui brillent dans le noir et un casse-tête de la ville de Portwaller. Angus Meeker est en train de jouer avec un grand chapeau brun qui ressemble à celui que le maire Luckett portait dans le tableau.

Et mademoiselle Stunkel (mademoiselle Stunkel !) fait l'essai de parapluies.

Je sens que mes oreilles commencent à suer.

— Qu'est-ce qui vous prend ? On n'a pas fini de regarder toutes les choses là-bas ! crié-je en montrant la salle du musée.

Tout le monde s'arrête. Mes mots sont une couverture lourde, une qui a été gardée dans le coin du sous-sol depuis longtemps et qui a une odeur de moisissure. Elle recouvre la salle et gâche le plaisir de tout le monde.

Mademoiselle Stunkel agrippe le parapluie et ensuite me regarde du coin des yeux. Son visage dit « À vos marques, prêt ? TIREZ ! », mais au lieu de lancer le parapluie sur moi, elle lève son doigt d'os de poulet en l'air.

Je hoche la tête pour lui faire comprendre que je ne cherche pas les ennuis. Après un long moment, elle remet le doigt dans la poche de sa robe et elle glisse le parapluie dans le baril en bois, à côté des autres. Puis, elle me tourne le dos pour éviter d'avoir des idées meurtrières.

Je me retourne aussi et c'est là que je vois Patsy Cline et Vera Bogg, côte à côte au comptoir de bijoux ; leurs épaules se touchent et leurs têtes sont entièrement trop proches l'une de l'autre.

Je me faufile entre les deux, ce qui les éloigne l'une de l'autre.

— Tout le monde m'a laissée toute seule là-bas.

Je montre la salle du musée.

— Il y encore des choses à voir, vous savez. Des choses qui sont plus importantes que la boutique de souvenirs.

— Désolée, dit Patsy Cline.

Mais elle n'a pas l'air désolée. Et je suis sur le point de le lui dire lorsque Vera lève un petit oursin plat blanc au bout d'une chaîne et le balance devant mon nez. Les mots AMIES POUR TOUJOURS y sont gravés profondément.

— Regarde ce qu'on a acheté, dit Vera.

— Qui ça, « on » ?

Et c'est là que j'entrevois la même chaîne sous les cheveux crépus de Patsy Cline.

Sapristi.

Et là, avant que je puisse m'en empêcher, au beau milieu de la boutique de souvenirs du musée, j'ouvre ma bouche le plus grand qu'elle peut s'ouvrir. Et là, je crie assez fort que même l'ourson miteux à une oreille peut m'entendre.

— Est-ce que tout le monde se fiche des personnes mortes ? Les personnes mortes sont des personnes aussi !

Puis, je mets les mains dans mes poches, j'en ressors tout l'argent que j'avais sorti de ma tirelire ce matin — quinze dollars et quatorze sous, plus un sou noir canadien — et je trouve la boîte de dons du musée.

— Ça, annoncé-je pendant que je bourre l'argent dans la fente, c'est pour toutes les personnes mortes, où qu'elles soient !

3.

onsieur Drather ouvre la porte de l'autobus et
dit :

— Déjà de retour ?

Je monte à bord et je me glisse sur mon siège. Il a mis la
radio sur un poste de musique country, et un homme chante
une chanson triste à propos d'un amour qui a mal fini.

Il se retourne sur son siège.

— Tu n'as rien appris de l'incident du fort McHenry,
n'est-ce pas la petite ?

— Non.

— C'est ce que je pensais.

Il retire l'emballage d'une friandise et la casse en deux
avant de la manger.

— Est-ce que Marie a encore été blessée cette fois-ci ?

— Marie qui ? demandé-je.

Il se gratte le coin de la bouche avec son ongle.

— Désolé. Mademoiselle Stunkel, je voulais dire.

Eh bien. Je ne savais même pas que mademoiselle
Stunkel avait un prénom.

— Mademoiselle Stunkel s'appelle Marie ? Elle ne ressemble pas vraiment à une Marie.

— À quoi ressemble une Marie ? demande-t-il.

— Tout d'abord, dis-je, une Marie n'a pas un visage méchant, comme si elle était toujours en train de sucer des pépins de citron. Et elle a des yeux gentils. Le genre que quand ils te regardent, tu ne souhaites pas être mort.

Il ne semble pas savoir quoi répondre à ça, parce qu'il se retourne sur son siège et il tapote le volant avec ses doigts.

Je sors mon bloc de papier à dessin de mon coffre à outils et je dessine une Marie qui n'est pas mademoiselle Stunkel. Lorsque j'ai fini, je l'apporte à l'avant de l'autobus et je le montre à monsieur Drather.

— Tu as du talent en dessin, dit-il.

— Est-ce que tu veux que je te dessine ?

Il hausse les épaules.

— Est-ce que je dois faire quelque chose d'autre que ce que je fais en ce moment ?

— Qu'est-ce que tu fais en ce moment ? demandé-je.

— Rien.

Et je lui dis que c'est parfait. Je m'assois par terre, les jambes croisées, à côté de son siège, et je commence à dessiner ses cheveux bruns ondulés qui sont très courts sur le dessus et sur le côté de sa tête et très longs à l'arrière.

— Combien de temps penses-tu que ça va leur prendre ?

— Qui ?

— Tu sais, Marie. Et le reste de ma classe.

— Là, ne l'appelle pas Marie, dit-il. Pour toi, c'est mademoiselle Stunkel.

— D'accord, c'est bon. Quand penses-tu que mademoiselle Stunkel et les autres en auront fini là-dedans ?

— Je ne sais pas. Encore un moment, je dirais.

Je retourne à mon dessin.

— Tu as un beau nez tout rond.

— Tu crois ? dit-il en reniflant l'air. Il a bien fonctionné pour moi jusque-là.

— C'est bien.

J'arrive à son menton qui a un gros trou. Comme si quelqu'un avait enfoncé son doigt dans un tas d'argile humide et l'avait laissé sécher. Je suis sur le point de lui dire ça, mais une chanson que je connais commence à jouer à la radio.

— Patsy Cline !

Le visage de monsieur Drather affiche un sourire qui dit « Merci, bon Dieu » et le trou dans son menton disparaît presque. Il augmente le volume de la radio.

— D'où connais-tu Patsy Cline ?

Je lui explique que ma meilleure amie, Patsy Cline Roberta Watson, porte le nom de Patsy Cline, la chanteuse country morte. Et que Patsy Cline, ma meilleure amie, est aussi une chanteuse qui sait chanter des chansons de Patsy Cline, celle qui est morte.

— Savais-tu qu'elle est morte ?

Il fait signe que oui.

— Je le savais.

Puis, il me dit que si j'arrêtais de parler pendant une minute, on pourrait peut-être même l'entendre chanter.

Je continue à dessiner pendant que la chanson joue, et monsieur Drather se met même à chanter quelques-unes des parties.

I've got your picture that you gave to me,
(J'ai ta photo que tu m'as donnée,)
And it's signed "with love", just like it used to be
(Signée « avec amour », comme dans le passé)
The only thing different, the only thing new
(La seule chose différente, qui avant n'existait pas,)
I've got your picture, she's got you
(Moi j'ai ta photo, et elle, elle a toi[1])

Il ne chante pas aussi bien que Patsy Cline (ni l'une ni l'autre), mais il n'est pas le pire que j'ai jamais entendu. Une fois, j'étais assise devant notre salle de bains et j'écoutais mon frère, Terrible, chanter sous la douche. Est-ce que tous les extraterrestres chantent comme des coqs qui viennent juste de se faire enlever les amygdales ? C'est ce que j'ai demandé à Terrible lorsqu'il m'a surprise en train de l'écouter. Mais il m'a juste donné un coup de poing sur le bras, et je ne l'ai plus jamais entendu chanter.

Lorsque la chanson est finie, monsieur Drather baisse le volume et chante le dernier refrain une dernière fois, très fort. Puis, il regarde fixement par le pare-brise de l'autobus pendant un long moment.

Je chuchote :

— Monsieur Drather ?

Et là, il sursaute un peu comme s'il avait oublié qu'il est assis dans un autobus scolaire. Et que je suis ici avec lui. Son visage rougit, sauf le trou dans son menton.

---

1. N.d.T. : Traduction libre

— Oui. Désolé.

— C'est pas grave.

Je décide de mettre une scène et un rideau, et un microphone dans mon dessin, ainsi que plusieurs notes de musique. Lorsque j'ai fini, je lui montre le dessin.

Au début, il ne dit rien. Il prend une grande inspiration et retient son souffle. Puis, il touche une des notes avec le bout du doigt.

— Eh bien ? dis-je. Est-ce que tu l'aimes ? Je t'ai mis sur une scène. Tu sais, parce qu'il me semble que tu aimes chanter.

— Je vois bien ça.

Il éclaircit sa voix.

— Et, oui, j'aime chanter.

J'arrache la page et je la lui donne.

— Voilà. Tu peux l'avoir si tu veux.

Il me fait signe que oui et il sourit. Puis, il enroule le dessin, retire un élastique autour de son poignet et le glisse autour. Il le range dans un sac à côté de son siège en utilisant ses deux mains.

— En passant, tu ne m'as pas vraiment dit pourquoi tu es ici.

— Qu'est-ce que tu veux dire ?

Il désigne le musée avec un geste de son pouce.

— Je veux dire, qu'as-tu fait cette fois-ci pour t'attirer des ennuis ?

— Oh, ça. J'ai crié et j'ai causé un dérangement qui a porté atteinte à notre apprentissage.

Ce qui est exactement comment mademoiselle Stunkel l'a dit avant de m'annoncer que je méritais de passer l'après-midi dans l'autobus.

Monsieur Drather me regarde en levant les sourcils.

Donc, je lui dis que les autres étaient juste en train de s'amuser dans la boutique de souvenirs de toute façon, ce qui n'impliquait pas d'apprentissage, alors mes cris n'avaient pas pu nuire à ça.

— Mais, tout d'abord, pourquoi est-ce que tu as crié ?

— Parce qu'il y a des choses dans le musée qu'on a ignorées. Tu ne penses pas qu'on devrait se souvenir de ces gens ?

Il hausse les épaules.

— Je n'ai jamais été fort sur les musées. Mais je pense qu'il y a beaucoup de personnes dont on devrait se souvenir, même si leurs choses ne sont pas exposées dans un musée.

Il tire ses cheveux longs.

— Mais est-ce que c'est vraiment pour ça que tu as crié ?

Je fais signe que oui.

— Et aussi à cause de Patsy et Vera et de leurs colliers identiques.

Monsieur Drather croise les bras sur sa poitrine.

— Il me semble que c'est peut-être toi qui as été ignorée.

Et lorsque je pense à Patsy Cline, je pense qu'il a peut-être raison.

4.

ademoiselle Stunkel envoie un billet à la maison. C'est le cinquième cette année, mais j'espère que ma maman ne tient pas un décompte. Je n'ai pas besoin de le lire pour savoir ce qu'elle a écrit.

Chère Madame Crumb,
Penelope semble incapable de garder sa bouche fermée.
Surtout lorsqu'il s'agit de parler de choses mortes. Veuillez
voir ce que vous pouvez faire pour qu'elle garde le silence
dans ma classe. Sinon, je pourrais me voir obligée de la
tuer avec un parapluie.

Sincèrement,
Mademoiselle Stunkel, qui est une méchante Marie

Lorsque je sors l'enveloppe de mon coffre à outils, ma maman secoue la tête et me lance un regard qui dit : « Qu'est-ce que je vais faire de toi ? » Donc, je réponds :

— Trouve-moi une nouvelle enseignante de quatrième année.

Elle ne doit pas savoir quoi répondre à ça, parce qu'elle met ses pieds dans notre sécheuse brisée qu'elle utilise comme bureau et ensuite se met à regarder fixement le nouveau dessin sur lequel elle travaille. Maman dessine des intérieurs de personnes pour des livres que les docteurs lisent. Et celui-ci est sur les cerveaux.

Je m'accote sur la sécheuse à côté d'elle.

— Est-ce que mon cerveau ressemble à ça ? Il y a beaucoup de plis.

— Penelope Rae.

Elle a une façon de prononcer mon nom comme si c'était l'un des intérieurs dégoûtants qu'elle dessine. (Plis de cerveau, par exemple.)

Je change de sujet.

— Savais-tu que le Musée d'histoire de Portwaller avait pris feu et que des choses à l'intérieur ont été brûlées ?

Maman lit encore la note de mademoiselle Stunkel, donc elle dit seulement « humpf », et puis rien d'autre.

— Est-ce que je peux emprunter quinze dollars ?

Ça attire son attention. Elle arrête de lire et elle dit :

— Jamais de la vie.

— Pourquoi ?

— J'ai tellement de raisons de ne pas te donner quinze dollars, que j'aimerais en entendre une seule pour laquelle je devrais le faire.

— Parce que je veux acheter quelque chose au Musée d'histoire de Portwaller. Un collier.

Elle agite le billet en ma direction.

— Selon ceci, tu y étais aujourd'hui. Pourquoi ne l'as-tu pas acheté à ce moment ? J'imagine que tu étais trop occupée à t'attirer des ennuis ?

Elle replie le billet et le remet dans son enveloppe.

— Où est ton argent ?

Mais avant que je puisse lui dire que je l'ai tout donné au musée, je subis une attaque extraterrestre. Derrière moi, Terrible me fait une pichenette sur les oreilles et lorsque je lève les mains pour les recouvrir, il attaque mes dessous de bras.

— Aïe !

Un peu après que mon frère Terrence a eu quatorze ans, il a été kidnappé par des extraterrestres. Les extraterrestres l'ont ramené, mais lorsqu'ils ont fait ça, il n'était plus pareil. Il était Terrible. J'ai déjà écrit une lettre à la NASA à propos de ses manières extraterrestres, mais jusqu'à ce qu'ils répondent à la lettre, tout ce que je peux faire est de le surveiller.

Maman dit :

— Laisse ta sœur tranquille.

Ça, c'est impossible pour les extraterrestres.

— Est-ce que t'as vu ma veste grise ? demande-t-il en me faisant une autre pichenette.

— Je l'ai lavée, dit maman. Elle sèche sur le balcon.

— Tu l'as lavée ! Pourquoi ?

(Voici un fait : les extraterrestres aiment puer.) Terrible me fait une autre pichenette sur les oreilles et enjambe les tas de manuels scolaires de maman pour aller sur notre minuscule balcon.

Maman glisse un crayon à dessin derrière son oreille et manipule le billet de mademoiselle Stunkel.

— On reparlera de ça après avoir rencontré ton enseignante.

— Qu'est-ce que tu veux dire ? Pourquoi est-ce qu'on doit la rencontrer ?

Je prends le billet de sa main et je le lis. Le billet ne mentionne rien à propos de me tuer avec un parapluie, mais que mon enseignante veut parler de mon comportement. Je continue de lire.

— Pas si vite, dis-je lorsque j'arrive à la partie où mademoiselle Stunkel dit que j'ai souvent des «comportements bizarres».

Bizarre ? C'est pas comme si je mangeais de la pâte ou que je trempais ma nourriture dans de la compote de pommes.

— Je n'aime même pas la compote de pommes ! annoncé-je. Et, juré craché, je n'ai pas mangé de colle depuis la fois où Angus Meeker a parié deux dollars avec moi que je n'aurais pas le cran de le faire !

Maman me dit de me calmer et qu'elle est certaine que mademoiselle Stunkel ne pense pas ça de moi — que je suis vraiment bizarre.

— Tu ne connais pas mademoiselle Stunkel, dis-je.

— Alors, je devrai apprendre à la connaître, répond-elle.

Ce qui n'est pas la meilleure chose à entendre venant de sa maman.

En allant à ma chambre, je me demande comment je vais me sortir de tout ça lorsque Littie Maple manque me frapper avec la porte de notre appartement.

— Est-ce que je peux écouter la télévision ? demande-t-elle en se précipitant vers notre divan. Oh, oui, et ma mère veut que je demande si elle peut emprunter un œuf. Elle fait une frittata pour la Journée mondiale de l'œuf et elle a besoin de six œufs, mais elle n'en a que cinq. Et prends ton temps parce que c'est l'heure de *Max Adventure*.

— Pour quelqu'un qui n'a pas de télévision, tu es vraiment experte pour savoir ce qui joue.

Littie me sourit comme si je venais de lui donner un suçon en forme de chaton. Je mets mon coffre à outils sur le comptoir et je prends un œuf du réfrigérateur. Je le tiens dans le creux de mes deux mains et je le lui apporte.

— Je t'ai dit de prendre ton temps, dit-elle. Max n'a pas encore vu le grand serpent du ruisseau Hootcheekoo !

— C'est quoi cette chose autour de ton cou ?

Littie tend une boîte noire qui pend d'une courroie.

— C'est une alarme. Maman me laisse avoir plus d'aventures maintenant, mais je dois porter ça.

— Ça fonctionne comment ?

— Je n'ai qu'à tirer ici, dit-elle en saisissant la boîte noire.

Elle tire et là TUUT ! TUUT ! TUUT ! TUUT ! TUUT ! TUUT !

— Littie !

Elle rebranche la boîte noire dans la courroie et les « TUUT ! » cessent.

— C'est un peu bruyant.

— Un peu.

Terrible sort de nulle part et me donne une tape derrière la tête.

— Y est où le feu ?

— C'était juste l'alarme de cou de Littie, dis-je.

Il met sa veste tout en me faisant une grimace et il dit :

— À plus tard, face de rat.

Ensuite, il tire la queue de cheval de Littie et sort de l'appartement.

Les yeux de Littie sont maintenant rivés sur lui.

— Où penses-tu qu'il va ?

— Je ne sais pas, dis-je en lui tendant l'œuf. Et je m'en fiche.

Mais elle ne me voit pas.

— Il n'a même pas dit au revoir.

— De quoi tu parles, Littie Maple ?

Mais son cerveau est ailleurs.

J'en ai marre de tenir l'œuf, donc je décide de voir si je peux l'entrer dans ma bouche. Je peux. Je tape Littie sur la tête pour capter son attention.

Littie me regarde enfin. Elle secoue sa tête.

— Tu ne ferais pas ça si tu savais d'où viennent les œufs.

Je dis ça comme ça.

Je sors l'œuf de ma bouche et je l'essuie avec ma manche.

— Je te signale que je sais d'où viennent les œufs.

Littie me lance un regard qui dit : « Alors, tu es une drôle de tomate. »

Ce qui me fait penser.

— Trouves-tu que je suis bizarre ?

— C'est sûr.

Littie repose son regard sur la télévision.

— Non, je veux dire bizarre *étrange*.

— Définitivement.

— Littie !

— Tu viens de te mettre un œuf dans la bouche, même si tu sais que c'est sorti du derrière d'une poule.

— J'essayais de capter ton attention, dis-je. De toute façon, ils lavent les œufs avant qu'ils arrivent à l'épicerie.

— Qui les lave ?

— Tu sais, les gens des œufs, je dis. Les personnes responsables des œufs.

Littie rit et secoue sa tête. Puis, elle dit :

— Ne t'en fais pas, Penelope, bizarre ne me dérange pas. Je dis ça comme ça.

Ce qui fait que je me demande si bizarre dérange peut-être Patsy Cline.

5.

Grand-papa Felix crie pour que je garde le rythme.

— Dépêche-toi !

Ses sacs à appareil photo sont lourds sur mon dos et mes pieds glissent sans arrêt sur le gazon mouillé. La colline Piney est abrupte et excellente pour aller glisser en traîneau, mais je ne comprends pas pourquoi quelqu'un voudrait se marier à son sommet.

— Pourquoi en as-tu besoin d'autant ? dis-je en faisant de plus grands pas pour le rattraper.

Il tourne la tête vers le côté.

— Autant de quoi ?

Je grogne :

— D'appareils photo.

— Aussi bien me demander pourquoi j'ai besoin d'autant d'amis, dit-il. Il n'y en a jamais trop.

La courroie d'un des sacs glisse de mon épaule et le long de mon bras. Je la tire vers le haut, mais je peux voir qu'elle ne restera pas en place. Je déplace mon coffre à outils à mon autre main.

— Eh bien, tes amis sont vraiment lourds.

— Tu es jeune. Le travail dur rend les joues toutes roses. Tu veux des joues roses, non ?

— Pas vraiment, répondé-je.

— Eh bien, tu devrais.

Il ralentit un instant et me regarde par-dessus son épaule.

— Et tu aurais dû laisser ce coffre à outils dans le camion comme je te l'ai dit.

Je resserre ma prise.

— Tu n'as laissé aucun de *tes* amis.

Il rit et dit :

— C'est bien vrai.

Et ensuite, il fonce vers l'avant.

Lorsque je le rattrape, grand-papa est au sommet de la colline, sous une grande tente blanche. Je laisse tomber de mes épaules les sacs à appareil photo et je me laisse aussi tomber par terre. Le gazon mouillé est en train de détremper mon pantalon, mais je suis trop essoufflée de la montée pour m'en faire avec ça.

— On y va, dit grand-papa. Je ne veux pas avoir une assistante avec des dessous tout mouillés. Sors mes appareils photo pendant que je parle avec les personnes responsables.

— Tu n'es pas fatigué ? demandé-je. Tu ne veux pas te reposer ?

— Non, je ne le suis pas, dit-il en me relevant sur les pieds. J'aurai amplement le temps de me reposer quand je serai mort.

J'ouvre les sacs, je sors avec soin les trois appareils photo de grand-papa par leur courroie que je me passe autour du cou. Puis, je tire sur l'arrière de mes pantalons pour les décoller.

Pendant que j'attends grand-papa, la tente blanche vide se remplit de rangées de chaises pliables, de banderoles

pendantes et de bouquets de fleurs violettes et jaunes. Lorsque grand-papa revient vers moi, une journée de mariage a poussé devant nous, comme dans les pages d'un livre animé.

— Nous allons commencer ici, me dit-il en désignant le sentier de pierre derrière nous. Viens par ici.

Il me met la main sur l'épaule et me dirige sur le sentier, le long d'une rangée de pins.

— Maintenant, tu dois rester près de moi pour que je puisse changer d'appareil photo au besoin. Tu comprends ?

— Est-ce que je peux prendre des photos aussi ?

— Non, madame. Pas aujourd'hui.

— Quand est-ce que je pourrai ?

— Une autre fois, dit-il.

— Tu dis toujours ça.

— Alors, ça doit être vrai.

Il prend l'un des appareils photo que j'ai autour du cou et le lève devant ses yeux.

— De toute façon, ce n'est pas le genre d'appareil photo auquel tu es habituée.

Pendant que grand-papa presse le visage contre l'appareil photo, un homme aux cheveux blancs et vêtu d'un complet noir s'approche de lui et lui tape sur l'épaule.

— Felix Crumb, dit-il.

— C'est moi, dit grand-papa sans regarder l'homme.

— Je reconnaîtrais ce nez n'importe où.

L'homme tend la main.

Grand-papa Felix serre l'appareil photo sous son bras et donne la main à l'homme. Il ne la lâche pas pendant un long moment. Il regarde fixement dans les yeux de l'homme comme s'il cherchait sur une carte le prochain virage à prendre. Enfin, de quelque part dans l'un des plis de son cerveau, grand-papa Felix se souvient.

— Je ne le crois pas, dit-il.

— Ça va faire quarante ans, et tu as toujours un appareil photo dans les mains, dit l'homme.

— Mandrake Trout, dit grand-papa.

— Mandrake ? dis-je.

Parce que ça ressemble davantage à un oiseau à longues pattes qu'au nom d'une personne.

Grand-papa me serre l'épaule.

— Voici ma Penelope. Je veux dire, elle est ma petite-fille.

— Je vois la ressemblance, dit-il.

Et je sais qu'il veut dire mon nez. Je dilate mes narines en le regardant. Deux fois. Mandrake me sourit et dit :

— Comment vas-tu ?

Je lui dis que je vais très bien.

Puis, il se retourne vers grand-papa.

— Je n'arrive pas à le croire, dit-il en lui donnant une tape amicale sur l'épaule. Tu es toujours photographe. Est-ce que c'est toujours le même Leica Rangefinder ?

Il saisit l'appareil photo de grand-papa et le met devant ses yeux.

— C'est exact, dit grand-papa en tirant la courroie de l'appareil photo jusqu'à ce que Mandrake la lâche.

Mandrake dit :

— Toujours le même Felix. Coincé dans le passé.

Il met les mains sur ses genoux et se penche pour que son visage soit à la même hauteur que le mien.

— Penelope, ton grand-papa et moi avons grandi ensemble. Base-ball, club des jeunes explorateurs du Maryland, camp d'été au lac Deep Creek, club de photographie.

Il regarde les appareils photo autour de mon cou.

— Donc, il t'a embarquée dans ce boulot ridicule ?

Je ne sais pas ce que ça veut dire, donc je hoche la tête et je hausse les épaules. Ce qui semble fonctionner parce qu'il me conte ensuite que sa nièce se marie à un homme important du journal et qu'il n'est en ville que pour quelques jours.

Grand-papa déplace un morceau d'écorce d'arbre le long d'une roche avec sa chaussure. Il hoche la tête en écoutant, mais il semble beaucoup plus intéressé par l'écorce d'arbre que par ce que Mandrake a à dire. Et il a beaucoup à dire.

— J'aimerais qu'on se revoie avant que je reparte, dit Mandrake.

Puis, il donne une carte avec son nom et son numéro de téléphone à grand-papa. Il me donne une petite tape sur la tête comme si j'étais un chien errant qui a besoin d'un bain. J'ai envie de le mordre. Il dit que c'était agréable de parler avec moi. Même si c'est juste lui qui a parlé.

— Mandrake, dis-je après son départ.

Le mot reste pris sur ma langue.

— Mandrake.

— Ouaip, dit grand-papa.

— Mandrake. Man. Drake. Mannnnd. Raaaake.

— Penelope.

— Désolée. Je n'ai jamais rencontré de tes amis, dis-je. Sauf monsieur Caldenia qui habite ton immeuble et qui me demande toujours s'il va pleuvoir.

— Je n'avais pas pensé à Mandrake Trout depuis des années.

— Il se rappelait très bien ton appareil photo, dis-je.

Grand-papa resserre sa prise comme s'il tenait quelque chose de plus important qu'un appareil photo.

— C'est un Leica Rangefinder, un trente-cinq millimètres. Celle-ci utilise du vrai film.

— Oh.

— C'est la même sorte qu'Eisenstaedt utilisait, dit-il. J'imagine que tu ne sais pas qui est Eisenstaedt ?

— Bien sûr que je le sais. C'est ce vieux gars vraiment intelligent avec les drôles de cheveux blancs.

Grand-papa Felix secoue la tête et me dit Eisenstaedt, pas Einstein. Mais quand je lui lance un regard qui dit « C'est quoi, la différence ? », il dit :

— Alfred Eisenstaedt était photographe. *Albert Einstein* était physicien. Les deux étaient des génies.

— Étaient ?

— Oui, Penelope. Les deux sont morts depuis longtemps. Autrement dit, ce que tu ressens pour Léonard de Vinci, je le ressens aussi pour Eisenstaedt. Tu comprends ?

— Je comprends.

Il retourne l'appareil photo dans ses mains.

— C'était mon premier. Je l'ai acheté au marché aux puces de Driscoll avec l'argent que j'avais économisé en livrant des journaux. Il fonctionne encore à merveille.

Il regarde le ciel et ensuite les arbres derrière moi à travers le viseur.

— Ils n'en font plus des comme ça maintenant.

— On devrait lui donner un nom, dis-je. Appelons-le « Alfred ». Tu sais, comme ce gars.

— Eisenstaedt.

— Oui, lui.

Grand-papa Felix dit :

— Comme tu voudras.

— Il sera peut-être dans un musée un jour, dis-je.

— Qui ça ?

— Alfred. Pour que le monde se souvienne de toi. Et qu'on sache que tu prenais de très belles photos.

— Ce qui est important pour moi ne vaudra même pas la poussière sous nos pieds pour qui que ce soit d'autre après que je serai parti.

Il me vise avec l'appareil photo et appuie sur le bouton jusqu'à ce qu'il fasse un clic.

Je parie que Maynard C. Portwaller n'aurait jamais pensé que son cheveu gris serait exposé pour que tout le monde puisse le voir. Mais il l'est. Et le monde doit penser que ce seul cheveu vaut plus que toute la poussière sous nos pieds s'il est dans un musée. Je dis ça à grand-papa Felix, mais il dit seulement :

— Je ne suis pas un Maynard C. Portwaller.

— Exact, lui dis-je. Tu es grand-papa Felix Crumb. Et je vais me souvenir de toi très longtemps après que tu seras parti. Et lorsque je serai une artiste célèbre, les gens verront mes dessins et se souviendront de moi très longtemps après que je serai morte et enterrée. Tout comme monsieur Léonard de Vinci.

Grand-papa me regarde en haussant les sourcils.

— Tu sais, tu ne devrais probablement pas gaspiller ton samedi avec un vieil homme comme moi quand tu pourrais aller t'amuser avec Patsy Cline.

Ce que je ne dis pas, c'est que Patsy Cline s'amuse probablement déjà avec Vera Bogg. Voici ce que je dis :

— Ça, c'est amusant, grand-papa.

Il secoue la tête.

— Eh bien, je suis content que tu trouves ça amusant alors.

— Sais-tu ce qui rendrait ça encore plus amusant ? Si tu me laissais prendre des photos.

— Bien essayé.

Il prend le sentier de pierre vers les pins.

— Par ici. Finissons-en.

Je saisis le sac à appareil photo et je le balance par-dessus mon épaule.

— Pourquoi tu n'as pas pensé à Mandrake depuis si longtemps ?

Il hausse les épaules.

— Je ne sais pas. Je n'y ai juste pas pensé.

— Mais vous étiez amis ?

41

Il fait signe que oui.

— Les meilleurs.

— Alors, pourquoi?

— Rien ne dure toujours. Tu apprendras ça un jour.

— Certaines choses oui.

Comme mon papa qui est parti pour toujours. Et pour ce qui est écrit sur le collier de Patsy et de Vera? AMIES POUR TOUJOURS.

— Des fois, on oublie des choses ou des personnes qui semblaient vraiment importantes dans le temps.

Il lève Alfred devant son visage.

— Pas moi, dis-je. Je ne veux pas oublier.

6.

u'est-ce que tu fais là-dedans ? demande Littie
Maple.

Je sors la tête de mon placard.

— Rien.

Je lance mes derniers souliers et vêtements accrochés sur
le Tas. Il est maintenant aussi haut que les yeux de Littie.

— Ça n'a pas l'air de rien.

Littie agrippe mes bottes de pluie à pois du Tas et les met
à côté de ses pieds. Elle me dit que je dois être parente avec le
yeti et ensuite lance les bottes sur la pile. Elle trouve une paire
de mes sandales et les attache par-dessus ses chaussettes.

— Est-ce que je peux les avoir, demande-t-elle, si tu es
pour les jeter ?

— Je ne les jette pas, répondé-je.

— Oh.

Littie se rend à pas lourds jusqu'à ma coiffeuse et lève la
jambe pour essayer de voir son pied dans le miroir.

— Je les aime beaucoup. Je dis ça comme ça. Et elles me
font super bien.

Je lance un regard à Littie qui dit : « Elle est bien bonne. »
Mais je ne dis rien pour les sandales, parce que si elle ne sait
pas qu'elle a de minuscules pieds d'oiseaux, ce n'est pas moi
qui vais le lui dire.

— Est-ce que ton frère est à la maison ? demande Littie.

— J'espère que non.

— Tu te souviens de l'autre jour lorsqu'il m'a tiré les cheveux ? dit-elle en se mettant sur la pointe des pieds.

— Je ne sais pas. Peut-être.

— Tu ne te souviens pas ? On était là à côté du divan et il s'en allait quelque part, parce qu'il venait de mettre sa veste et puis il t'a dit quelque chose, et ensuite il m'a tiré les cheveux ? Tu te rappelles ?

Je hausse les épaules et je mets quelques-uns de mes vêtements et chaussures sur le dessus du Tas.

— Je veux dire, normalement il ne me remarque pas du tout. Il ne dit même pas salut ou rien comme ça. Mais l'autre jour, il m'a tiré les cheveux... Tu ne t'en souviens vraiment pas ? dit-elle en croisant les bras sur sa poitrine.

Mais lorsque je ne réponds pas, elle dit :

— *Moi* oui. Je m'en souviens.

— Tu peux le dire à maman si tu veux, dis-je. Terrible me tire les cheveux et me fait des choses encore pires tout le temps, et il n'a jamais d'ennuis, mais peut-être que si tu le disais à maman, elle ferait quelque chose.

— Je ne veux pas qu'il ait des ennuis, dit-elle en rougissant. C'est pas ça que je cherche.

— Alors, quoi ?

— Rien, Penelope, dit-elle. Rien.

— Pourquoi t'en fais-tu pour Terrible, de toute façon ?

Elle détache mes sandales et les enlève en donnant un coup de pied.

— Oublie ça.

Je rampe dans mon placard vide, je m'enroule dans un coin et passe la main sur les murs blancs. Si monsieur Léonard de Vinci était ici, il dirait sans aucun doute : « Bonté divine ! Dieu merci pour un endroit tel que celui-ci. Oh là là, ces murs vides ne devraient pas rester vides longtemps. »

Parce que c'est comme ça que les artistes morts parlent.

Littie fait claquer sa langue comme un pigeon de l'autre côté du Tas. Et là, peut-être parce que m'asseoir dans un placard vide fait mieux fonctionner mon cerveau, je comprends soudainement pourquoi Littie s'en fait autant pour Terrible. J'agrippe un soulier dans le bas du Tas et je le lance sur elle. Je vise assez bien parce qu'elle pousse un cri.

— Hé ! Pourquoi t'as fait ça ?

— Parce que, Littie Maple, si t'essaies de dire que tu aimes Terrible l'extraterrestre, berk !, alors peut-être que tu es aussi une extraterrestre.

Je retourne dans mon placard en rampant et j'appuie les pieds contre le mur.

— Qu'est-ce que tu fais là-dedans ?

— Rien, dis-je.

Ses claquements de langue deviennent de plus en plus forts.

— Eh bien, qu'est-ce que tu fais avec toutes ces choses que tu as sorties ? Et ne dis pas « rien ».

— Je veux juste pas qu'elles soient dans mon placard.

— Pourquoi pas ? demande-t-elle.

Je soupire.

— Parce que.

— Parce que quoi ?

— Mon placard ne sera plus un placard, voilà pourquoi.

— Alors, il va être quoi ?

Je peux presque entendre Léonard dire : « Je suis incapable de penser avec tout ce claquement dans mes oreilles. Dieu merci, cette merveilleuse pièce a une porte. »

Je dis à Littie que je ne sais pas ce qu'il sera.

— Tu ne sais pas ?

Je parie qu'elle a mis les mains sur les hanches maintenant.

— Penelope Crumb, si tu ne veux pas me dire ce que tu fais, alors t'as juste à dire que tu ne veux pas me le dire au lieu de dire que tu ne le sais pas. Parce que si tu…

— D'accord, Littie. Je ne veux pas vraiment te le dire.

— Tu ne veux pas me le dire ! hurle-t-elle. Eh bien, c'est le comble ! Pourquoi ? Pourquoi tu ne veux pas…

C'est là que je ferme la porte du placard, et le claquement s'arrête peu après.

« Ah que c'est merveilleux et paisible, lorsque le pigeon quitte le bord de la fenêtre, aurait dit Léonard. Maintenant, réfléchissons. Les choses de qui vas-tu mettre dans ton merveilleux musée ? »

7.

J'appelle Patsy Cline le lendemain.

— Est-ce que tu veux venir chez moi ?

— C'est dimanche, dit-elle. J'ai une répétition.

— Ah oui. J'avais oublié.

Je tape mon cerveau pour le réveiller.

— Je pourrais peut-être venir chez toi, alors ?

Patsy ne dit rien. Mais je sais qu'elle est encore là parce que j'entends sa mère en bruit de fond qui l'appelle pour qu'elle vienne finir ses œufs brouillés.

— J'imagine que ça serait correct, dit-elle enfin.

Je raccroche le téléphone et crie à maman :

— Je vais chez Patsy Cline !

Patsy habite à deux stations de métro. Dans le train, je déplace la poignée de mon coffre à outils d'un côté et de l'autre, pendant que mon estomac se promène aussi d'un côté et de l'autre.

— J'espère que je n'aurai pas la gastro, dis-je à mon estomac.

L'homme assis à côté de moi dit :

— Moi non plus.

Et il change de place.

Lorsque j'arrive enfin à l'immeuble de Patsy, mon estomac fait toutes sortes de bruits et j'ai peur que l'ascenseur ne monte pas assez vite. Mais lorsque je me prépare à frapper à la porte de Patsy, mon cœur bat vraiment fort et je sais que ce que j'ai n'est pas la gastro : c'est les nerfs.

Je ne sais pas pourquoi je suis si nerveuse d'aller chez Patsy Cline, à qui j'ai rendu visite plus de fois que je peux même compter, mais je prends une grande inspiration et j'essaie de ralentir mon cœur. Puis, je frappe.

Le chien de Patsy Cline, Roger, aboie et il gratte à la porte. J'entends Patsy dire à Roger de se calmer, puis la porte s'ouvre. Voilà Patsy dans son ensemble de cow-girl bleu et Roger coincé sous son bras.

— Salut, dit-elle.

Aussitôt que je la vois, mes nerfs se calment, mais là je vois le collier AMIES POUR TOUJOURS autour de son cou et mon estomac fait une autre pirouette. Ça n'aide pas que Roger, qui a le visage d'une chauve-souris vampire et à qui il manque beaucoup de dents, grogne et s'élance vers moi comme s'il voulait me mâchouiller à mort avec ses gencives. Avec un visage comme ça, Roger devrait remercier Dieu de ne pas avoir de queue, parce que si Patsy Cline ne l'avait pas adopté, il serait encore au refuge. Ou pire.

— Il passe une mauvaise journée, explique Patsy.

J'imagine que ce n'est pas facile d'être un chien lorsque tu n'as pas de queue.

— Je connais ça, dis-je doucement en la suivant à l'intérieur.

Et là, entre avoir frappé à la porte et la mauvaise journée de Roger, je décide que la meilleure chose à faire est de continuer à parler et de ne pas laisser d'espace vide, parce que de l'espace vide laisserait de l'espace pour Vera Bogg. Donc, je lui raconte tout de suite que monsieur Drather chantait une chanson de Patsy Cline dans l'autobus la journée de la sortie éducative et que j'ai fait un dessin de lui, et que je pense qu'il veut être chanteur, mais qu'il conduit un autobus scolaire à la place. Et que j'ai oublié de lui dire ça en revenant du Musée d'histoire de Portwaller à cause du fait que mon cerveau était concentré sur mademoiselle Stunkel et le billet qu'elle a envoyé à la maison.

Puis, sans donner une chance à Patsy de digérer cette histoire, je commence à raconter celle de Mandrake. Mais avant même que j'arrive à la partie à propos de l'appareil photo de grand-papa Felix, celui qu'on a décidé d'appeler Alfred, la maman de Patsy dit de l'autre pièce :

— Patsy, répétons cette chanson une dernière fois.

— Bonjour, madame Watson, crié-je.

La maman de Patsy dit :

— Sucre d'orge !

La maman de Patsy m'appelle toujours « sucre d'orge ». Et aujourd'hui, ça sonne encore mieux quand elle le dit. C'est ce qu'elle pense de moi. Puis, elle dit ceci :

— Fais comme chez toi, Vera. Patsy a presque maîtrisé cette chanson.

Et c'est là que je manque de devenir morte. Je le sais parce que tout d'un coup, je ne sens plus ma langue et je ne sens plus mes ongles d'orteils. Et je me demande combien de temps il me reste avant que mon cœur arrête de battre.

Le visage de Patsy Cline devient rouge vif.

— Ce n'est pas Vera, crie-t-elle à sa maman. C'est Penelope.

— Oh, ce n'est pas grave, dit sa maman.

Comme si Vera était aussi faite de sucre. Je sais qu'elle ne l'est définitivement pas. Puis, madame Watson me dit de faire comme chez moi de toute façon. Mais elle ne m'appelle pas « sucre d'orge ». Même pas une fois.

J'attends Patsy dans sa chambre. Elle a beaucoup d'étagères pour ses trophées de chant et une grande affiche de Patsy Cline, la chanteuse de country morte, au-dessus de son lit. Je me laisse tomber sur son lit et je ferme les yeux. Je connais cette chambre par cœur. Avec les yeux toujours fermés et à partir de ma mémoire, je fais une liste de toutes les choses dans la chambre.

Treize trophées d'or, trois d'argent, quatre rubans bleus, un rouge, une affiche de Patsy Cline, un couvre-lit vert avec de minuscules papillons jaunes et des rideaux assortis, un tapis jaune moelleux, un bureau et une chaise blancs, des bacs en plastique bleus remplis de sa collection de vaches, un clavier avec un microphone et une lampe avec un abat-jour à motif de vaches. Patsy Cline aime beaucoup les vaches.

J'ouvre les yeux pour vérifier ma mémoire. Pas mal, sauf que j'ai oublié la photo encadrée de moi et de Patsy dans les montagnes russes à FantasyLand l'été dernier. Et il y a quatorze trophées d'or — j'en ai oublié un. Je m'agenouille sur son lit et je descends le dernier trophée de la rangée. Il est petit, mais lourd, et la partie dorée est en forme de note de musique. Les mots suivants sont gravés sur la base : PATSY CLINE ROBERTA WATSON, PREMIÈRE PLACE. LES VOIX TALEN-TUEUSES DE PORTWALLER.

Je retourne le trophée dans mes mains et je me demande si un jour je vais oublier Patsy Cline, notre voyage à FantasyLand et à quel point elle aimait les vaches. Tout comme grand-papa a un jour arrêté de penser à Mandrake Trout pour ensuite complètement l'oublier.

Il y a une façon de m'assurer que je n'oublie pas. J'ouvre mon coffre à outils et j'essaie de mettre le trophée à l'inté-rieur. Sauf qu'il n'entre pas bien à cause de toutes les autres choses que je garde là. Donc, je sors mon bloc de papier à dessin et mes crayons, mes marqueurs, le chausse-pied, la lampe de poche, le porte-monnaie, une barre de céréales, et j'essaie de nouveau. Le dessus de la note de musique frotte contre le côté de mon coffre à outils. Je baisse le couvercle, mais il ne se referme pas complètement.

Aussitôt que je rouvre le coffre à outils pour essayer encore une fois, Patsy Cline entre en chantant, « Worry, why do I let myself worry ? Wondering what in the world did I do ? » (Inquiète, pourquoi je m'inquiète ? À me demander ce que j'ai bien pu faire[2].) Puis, elle me voit en train d'essayer de mettre son trophée dans mon coffre, et dit :

— Mais qu'est-ce que...

— Oh, dis-je en tirant le trophée de mon coffre d'un coup sec.

---

2. N.d.T.: Traduction libre

Je le remets sur l'étagère et je dis à Patsy que j'allais le dessiner pendant que j'attendais qu'elle finisse sa répétition de chant et que je voulais voir s'il pouvait entrer dans mon coffre, juste parce que. Et là, je dis :

— Je peux mettre un œuf entier dans ma bouche.

Patsy me lance un regard qui dit : « Tu es plus folle que Roger. »

Pendant que je remets mes choses dans mon coffre à outils, je change de sujet.

— Veux-tu aller au parc ?

— Pourquoi ? demande-t-elle.

Pourquoi ? Je ne comprends pas pourquoi elle pose une question si stupide, pourquoi les gens vont-ils au parc ? Mais je ne dis pas ça, parce que ce n'est pas le genre de chose qu'on dit à sa meilleure amie. Au lieu, je dis :

— Pour tourner sur le tourniquet jusqu'à ce qu'on soit assez étourdies qu'on ne puisse plus marcher en ligne droite.

Patsy Cline dit :

— Non, merci.

Je tape sur mon cerveau pour le remettre en marche.

— Un concours de regard fixe alors ?

Patsy sourit et ses yeux s'ouvrent très grand. Je suis excellente pour regarder fixement. Mais Patsy est la meilleure de tous les temps et elle le sait. Elle peut fixer pendant si longtemps qu'elle ne te voit même plus, et elle peut continuer à fixer même après que tu as abandonné et que tu es parti à la maison pour souper. C'est un peu énervant, à vrai dire.

Je pose mes yeux sur son sourcil gauche, que j'ai appelé « Marge » parce qu'il ressemble à une chenille. Je fixe Marge longtemps sans cligner, on dirait pendant des jours. Je fixe si longuement et si fort que mes yeux commencent à se remplir d'eau, ce qui est ce qui se passe d'habitude. Marge devient toute floue, et là, ça arrive. Je cligne.

Patsy fait un large sourire, le genre qui me fait penser qu'on est encore meilleures amies, même si elle porte encore ce collier, et là elle dit :

— On le fait encore ?

8.

Un musée vide n'est rien de plus qu'un placard vide. C'est ce que je dis à Léonard de Vinci pendant que je suis assise dans le noir. S'il était vraiment ici, il dirait sans aucun doute :

— Un musée ne se crée pas tout seul.

— J'ai essayé de prendre le trophée de Patsy Cline, lui dis-je.

Si seulement mon coffre à outils était plus grand.

— Je ne sais pas pourquoi ils font les trophées si grands.

— Je ne connais rien des trophées, dirait-il. Dans mon temps, la personne ne recevait pas de statuettes pour avoir chanté, seulement pour avoir jouté. Je crois bien que j'aurais aimé en recevoir une pour mes toiles.

— Mais je ne sais toujours pas quoi mettre dans mon musée.

— Ce dont tu as besoin, ma petite chérie, est ce dont tout artiste a besoin. D'inspiration.

— Inspiration, je répète.

Et c'est dans la salle de lavage que j'en trouve. Je prends une poignée de crayons à dessiner et de pinceaux dans les bocaux alignés sur la sécheuse-bureau, et je les serre sous mon bras. Puis, je prends quelques tubes de peinture — terre de Sienne naturelle, jaune citron et mon préféré : bleu outremer.

J'aime dire ça à voix haute. *Bleu outremer. Bleu outremer.* Parce que ce n'est pas juste bleu. C'est *outremer.*

Je mets le tube dans ma poche.

Lorsque je me retourne, l'extraterrestre est derrière moi. Les extraterrestres ont les pas les plus silencieux et on ne les entend pas arriver. Ça les rend très doués dans les attaques-surprises.

— Qu'est-ce que tu fais ? demande Terrible.

Je réponds avec une question.

— *Toi,* qu'est-ce que tu fais ?

Il me regarde avec dédain, mais je l'esquive et je me rends à ma chambre avant qu'il puisse faire un de ses trucs mentaux extraterrestres sur moi. Je sors les tubes de peinture de mes poches et je regarde les murs blancs de mon placard. Avant qu'il puisse vraiment devenir un musée, il a besoin d'un nom. Je me tape sur la tête pour activer mon cerveau puis, après un moment, j'en trouve un. Les plis de cerveau sont des choses merveilleuses.

Je peins sur le mur en grosses lettres bleu *outremer* :

L'ULTRA-MUSÉE DE PENELOPE CRUMB DES PERSONNES QUI NE SERONT PAS OUBLIÉES MÊME APRÈS QU'ELLES SERONT MORTES ET ENTERRÉES

Les lettres s'étendent sur tout un mur, tournent le coin et traversent l'autre mur.

« C'est un nom à coucher dehors » dirait Léonard.

ultra-musée de

enelope-Crumb

es personnes qui

e seront pas

bliées même

rès qu'elles

ont mortes et

errées.

Je fais quelques changements.

L'ULTRA-MUSÉE DE PENELOPE CRUMB
DES PERSONNES ~~QUI NE SERONT PAS~~
~~OUBLIÉES MÊME APRÈS QU'ELLES~~
~~SERONT MORTES ET ENTERRÉES~~
QUI NE DEVRAIENT PAS ÊTRE OUBLIÉES

L'ULTRA-MUSÉE DE PENELOPE CRUMB
DES PERSONNES ~~QUI NE SERONT PAS~~
~~OUBLIÉES MÊME APRÈS QU'ELLES~~
~~SERONT MORTES ET ENTERRÉES~~
~~QUI NE DEVRAIENT PAS ÊTRE OUBLIÉES~~
À NE PAS OUBLIER

Je peux presque entendre Léonard dire : « Ça, c'est ultra-bon. »

Et ça l'est. Avoir le nom, c'est un bon début et pendant que la peinture sèche, je sors mon bloc de papier à dessin et mon crayon et je fais une liste de toutes les personnes que je ne veux pas oublier :

Maman
Grand-papa Felix
Papa
Mamie et papi
Tante Renn
Oncle Cleigh

Patsy Cline Roberta Watson
Terrence (mon frère, pas l'extraterrestre)
Littie Maple

L'ultra-musée de Penelope Crumb des personnes à ne pas oublier n'a pas de présentoir en verre comme ceux au Musée d'histoire de Portwaller ; donc, une assiette de notre armoire de cuisine devra faire l'affaire. Je sors le premier article pour mon musée de mon coffre à outils — le chausse-pied de mon papa. Il est en métal argenté et il brille sauf pour la partie courbée au centre, où j'imagine que le frottement du talon de mon papa a enlevé le lustre. Je regarde dans la partie luisante et je me vois un peu dans le reflet.

Je mets le chausse-pied sur l'assiette et je la glisse au centre du plancher. Puis, je fais une carte sur laquelle j'écris :

Chausse-pied qui appartenait à Theodore Crumb, papa de Penelope Crumb, et qui est mort et enterré.

9.

*L*e lendemain, à l'école, Patsy Cline est vêtue de rose de la tête aux pieds, tout comme Vera Bogg. Elle ressemble à un énorme tas de barbe à papa si doux et sucré que mes dents veulent tomber de ma bouche.

— C'est quoi ça? dis-je à Patsy dès que j'en ai la chance.

Ce qui se produit en allant à la récréation juste après que mademoiselle Stunkel nous a surpris avec un test sur les signes décimaux.

— Quoi? dit-elle, comme si elle ne savait pas comment elle était vêtue ou ce que je pense du rose.

Puis elle dit :

— Oh. Ce sont les vêtements de Vera. Nous avons fait un échange.

— Pourquoi as-tu fait ça?

— Pour s'amuser, dit-elle en jouant avec la chaîne de son collier AMIES POUR TOUJOURS.

— Je ne vois pas ce qu'il y a de si amusant.

Patsy Cline dit «humpf», et puis rien d'autre. On se regarde fixement pendant longtemps après ça. Cette fois-ci, mes yeux visent Marge la chenille comme s'il n'y avait rien d'autre sur la planète à regarder. Je fixe si longtemps et si fort que Marge commence à se remuer et à se tortiller.

Et au moment où Marge est sur le point de me sourire et de devenir un papillon, Vera Bogg — vêtue de la chemise de cow-girl bleue de Patsy — apparaît derrière Patsy et la tape sur l'épaule. Sans quitter Patsy des yeux, et sans cligner, je fais un visage qui dit : « Vera Bogg, tu vas attendre très long-temps. » Mais là, Patsy fait quelque chose qu'elle n'a jamais fait auparavant : elle arrête de fixer.

— Qu'est-ce que tu fais ? demandé-je. Et notre concours de regard fixe ?

Elle hausse les épaules.

— Tu gagnes, j'imagine.

Vera tire le bras de Patsy.

— Allons voir qui peut sauter le plus loin à partir des balançoires.

— Patsy Cline Roberta Watson, dis-je en lui saisissant l'autre bras. Je ne gagne *jamais*.

Patsy se libère et tire un cheveu qui est pris dans son collier.

Elle dit « D'accord » à Vera et ensuite me demande si je veux aller me balancer. Mais je ne peux que secouer ma tête parce que Patsy a subi un lavage de cerveau.

Après la récréation, mon cerveau ne peut penser qu'à une seule chose : ce qui arrive à Patsy Cline. Même si son pupitre est dans la rangée d'à côté, elle semble être à des kilomètres. Comme si elle était en Alaska. Parce que Vera Bogg l'a kidnappée, enveloppée d'un sac de couchage rose, l'a mise dans un avion rose et l'a emmenée là-bas. Et je ne sais pas comment faire pour qu'elle revienne.

Voici à quoi réfléchit mon cerveau lorsque la dernière cloche sonne et que mademoiselle Stunkel dit devant tout le monde :

— Penelope Crumb, n'oublie pas que tu dois rester après l'école aujourd'hui.

Sapristi. J'avais complètement oublié notre rencontre avec mademoiselle Stunkel pour parler du fait que je suis bizarre.

Mademoiselle Stunkel caresse sa broche de lézard du mercredi et fait un sourire qui dit : « Tu n'as quand même pas pensé que j'avais oublié. »

Pendant que Patsy Cline et Vera Bogg remplissent leur sac à dos pour rentrer à la maison, elles chuchotent et hochent la tête, et se lancent le genre de regard que les meilleures amies se donnent. Le genre que Patsy et moi nous donnions avant.

Une fois que tout le monde est parti et qu'il ne reste que moi et mademoiselle Stunkel, je tiens ma tête très près de mon bloc de papier à dessin et je fais un visage qui dit « Ne pas déranger : travail très important en cours » pour que mademoiselle Stunkel n'essaie pas de me parler.

Mais ça ne fonctionne pas, parce que mademoiselle Stunkel me dit de me rendre utile et d'aller dehors pour frapper les brosses à tableau afin d'en faire sortir la poussière de craie pendant qu'on attend ma maman. Je prends mon temps pour le faire et je ne retourne pas à l'intérieur avant de voir ma maman dans le corridor.

J'attends devant la porte de la classe de mademoiselle Stunkel et je reste très silencieuse au cas où maman et mademoiselle Stunkel décideraient de parler de moi. Mais j'entends seulement mademoiselle Stunkel dire quelque chose de gentil à propos de la chemise de ma maman et ensuite ma maman dit quelque chose que je n'entends pas, puis mademoiselle Stunkel rit.

C'est là que je sais que je suis dans le pétrin. Parce que mademoiselle Stunkel ne rit jamais. Je veux dire jamais, jamais. Je ne savais même pas qu'elle pouvait le faire.

— Les personnes ne se comportent pas comme elles-mêmes aujourd'hui, chuchoté-je à Léonard, et je n'aime pas ça.

Pendant ce temps, la poussière de craie des brosses que j'ai frappées a dû s'introduire dans mon nez, parce que même si j'essaie d'être silencieuse, mon nez me chatouille affreusement et j'éternue vraiment fort. Les brosses tombent par terre. Mademoiselle Stunkel dit :

— Penelope ? Est-ce que c'est toi ?

J'éternue encore et je lui dis que j'arrive.

Mais lorsque je me penche pour ramasser les brosses, quelque chose de brillant dans le coin à côté du portemanteau capte mon attention : un collier avec un petit oursin plat blanc, la chaîne amassée en un tas. Je le prends et je l'examine dans la paume de ma main. Il y a des cheveux dans la chaîne et ils sont de la couleur du fondant au chocolat aux cerises. Et je sais immédiatement à qui appartient ce collier. Je le serre très fort dans ma paume et je le glisse dans ma poche.

— Te voilà, dit maman devant la porte. Entre pour que nous ne gaspillions pas le temps de mademoiselle Stunkel.

Je remets les brosses à côté du tableau et mademoiselle Stunkel me dit d'approcher une chaise à côté de son bureau près de ma maman. Puis, mademoiselle Stunkel commence à parler et à parler et, de temps en temps, elle me regarde avec un visage qui dit : « Penelope est vraiment un panier rempli de pêches moisies. » Mais ce n'est pas grave parce que mon visage lui dit : « C'est toi qui le dis, mademoiselle Stunkel. » Même si je n'écoute pas vraiment la plupart des choses qu'elle dit.

De temps en temps, je l'entends dire les mots « inquiète » et « indisciplinée » et « problème de comportement ». Et « bizarre ». Puis « spéciale » et « rapport » et « pourquoi les musées sont importants ».

Mais mon cerveau ne se laisse pas trop déranger par ces mots. Au lieu de cela, il est concentré sur le collier dans ma poche. Je passe le doigt sur les mots AMIES POUR TOUJOURS. Si quelqu'un doit être « amies pour toujours », ça devrait être moi et Patsy. Ce n'est pas que je n'aime pas Vera Bogg, ou rien de la sorte, à part peut-être tout ce rose. C'est juste que quand tu commences à perdre quelque chose, comme ta meilleure amie par exemple, il faut réagir.

10.

ans la voiture, en retournant à la maison, maman appuie sur le bouton de la radio et me demande ce que je pense.

— De quoi ?

Elle trouve un poste qui joue de la musique sans mots. Le genre rapide et chargé avec beaucoup d'instruments et de bruits qui me donnent mal à la tête.

— De ce que mademoiselle Stunkel a dit. De ce dont on a parlé.

— Oh, ça, dis-je. Ça va. Pas de problème.

— Vraiment ? dit maman en tambourinant des doigts sur le volant. Pas plus grave que ça ?

— Ouais, dis-je. Pas plus grave que ça.

— Très bien, dit maman en souriant. Excellent.

Ce qui me fait penser que je devrais ne pas écouter mademoiselle Stunkel plus souvent, parce que là tout le monde est content.

Une fois arrivée à la maison, je dépose le collier de Patsy sur une assiette et je la glisse au milieu du placard. Puis, je fais une carte à propos du collier. J'écris :

Collier à petit oursin plat blanc appartenant à Patsy Cline Roberta Watson, meilleure

amie de Penelope Crumb (sauf que peut-être pas en ce moment), trouvé dans le corridor de l'école primaire de Portwaller.

Et une autre pour les cheveux :

Cheveux crépus de Patsy Cline Roberta Watson, meilleure amie de Penelope Crumb (était et le redeviendra bientôt, j'espère), trouvés dans la chaîne du collier à petit oursin plat blanc

Avant de fermer la porte, je jette un dernier coup d'œil au chausse-pied et au collier et aux cheveux de Patsy Cline, et je décide qu'ils ont besoin de compagnie. Un placard noir presque vide peut être effrayant, après tout. Patsy Cline est allergique aux choses qui ont des queues, mais je ne suis pas trop sûre pour son collier et ses cheveux. Moi, Penelope Crumb, je ne crois plus aux monstres dans le placard, surtout ceux avec des queues, mais j'imagine qu'on ne peut jamais être trop sûr.

Je parcours mon étagère. Derrière mes figurines *Max Adventure*, mes têtes de poupée (Terrible refuse de me dire ce qu'il a fait avec leur corps), ma collection de cailloux et mon jeu de société Trott'souris, se trouve une boîte en forme de cœur que ma tante Renn m'a offerte à mon dernier anniversaire. J'enlève le couvercle en forçant un peu et je compte le nombre de dents dans ma collection : cinq.

J'ai commencé à collectionner mes dents il y a quelques années, après que la fée des dents eut oublié d'en prendre une d'en dessous de mon oreiller. (Elle m'a laissé un dollar quand même, Dieu merci.) Il n'y a pas longtemps, j'ai eu l'idée de mettre la même dent sous mon oreiller plusieurs jours de suite pour voir ce qui arriverait. Je n'ai pas eu d'autre argent, et c'est là que Terrible m'a dit :

— C'est maman qui est la fée des dents, stupide.

Mais je ne suis pas certaine de le croire, parce que si j'ai appris une chose, c'est qu'on ne peut pas faire confiance aux extraterrestres.

Littie est totalement dégoûtée lorsque je lui montre ma collection de dents, surtout celles qui ont encore du sang dessus. Mais on ne sait jamais quand on aura besoin de vieilles dents. Comme maintenant, par exemple.

Je dépose la boîte à côté de l'assiette.

— Ceci éloignera les monstres de placard.

Puis, je m'installe dans un coin du musée et je ferme les yeux. Patsy Cline serait contente de savoir que je prends bien soin de son collier. C'est pas comme si j'allais lui dire.

11.

Mademoiselle Stunkel me demande de m'approcher de son bureau avant la première cloche. Je ne sais pas comment je pourrais avoir des ennuis lorsque tout ce que j'ai fait jusque-là est de m'asseoir à mon pupitre et d'attendre Patsy Cline. Mais ça ne prend pas grand-chose pour avoir des ennuis avec mademoiselle Stunkel.

— Penelope, dit mademoiselle Stunkel à voix basse, je voulais te dire à quel point tu as été agréable pendant notre discussion hier soir.

Je fixe les rides sur son front pendant que j'attends la mauvaise partie. Mademoiselle Stunkel fronce les sourcils, ce qui fait encore plus de plis sur son front, mais la partie où elle dit que je la déçois ne vient pas. Puis, elle hoche la tête vers moi très lentement, comme si c'était à mon tour de parler.

Sauf que je ne sais pas ce que je suis censée dire. Donc, à mon tour je hoche la tête lentement et je dis :

— Moi aussi je vous ai trouvée agréable hier soir.

Mademoiselle Stunkel lâche un « wah » qui ressemble un peu à un rire, mais pas vraiment. Puis, mon gros nez, qui a des superpouvoirs, capte une trace de son haleine. Ça sent la salade de pommes de terre avec beaucoup de mayonnaise.

— Et j'ai bien hâte de voir ton rapport lundi.

— Mon rapport ?

— Oui, ton rapport, Penelope. Celui dont nous avons parlé hier soir.

Puis, elle sort sa mâchoire comme si elle pensait que je plaisante. Ce que je ne fais vraiment pas.

— Celui sur les musées ? Et pourquoi ils sont importants ? Tu te rappelles qu'on a parlé de ça, n'est-ce pas ?

Son doigt commence à sortir de sa poche.

Je hoche la tête et j'affiche une expression qui dit : « Oh, ce rapport-là. Oui, bien sûr, je me souviens de celui-là. » Ce qui doit fonctionner puisque le doigt de mademoiselle Stunkel retourne dans sa poche.

— D'accord. Tu peux retourner à ta place maintenant.

Sapristi.

Patsy Cline est à son pupitre lorsque mademoiselle Stunkel en a fini avec moi et en allant vers elle, j'aperçois Vera de l'autre côté de la classe. Elle est à environ la même distance de Patsy que moi et elle se dirige vers elle aussi. J'active mes jambes, mais les jambes de Vera sont plus rapides. Elle arrive au pupitre de Patsy avant moi. Lorsque j'arrive, Patsy et Vera parlent déjà. Je me faufile entre les deux, et la première chose qui sort de ma bouche est :

— Mademoiselle Stunkel mange de la salade de pommes de terre au déjeuner.

Personne ne sait quoi dire après ça, y compris moi. Mais à ma grande surprise, après quelques minutes, Vera Bogg dit :

— J'aime la salade de pommes de terre avec des œufs durs.

Et aussi à ma grande surprise, pendant tout ce temps, Patsy me regarde avec une expression qui dit : « As-tu encore mangé de la colle ? »

Je ne lui réponds pas. Mais je remarque que Vera Bogg porte son collier à petit oursin plat et que Patsy ne porte pas le sien. Vera le remarque aussi, parce que là elle dit :

— Patsy, où est ton collier ?

J'attends que Patsy dise qu'elle a perdu son collier, qu'elle ne le trouve nulle part, et que ce n'est pas important de toute façon parce que « c'était une idée stupide d'avoir un collier assorti au tien, Vera Bogg, si tu veux savoir la vérité ». Mais Patsy ne dit pas ces choses. Au lieu, elle baisse les yeux vers l'endroit où son collier serait (s'il n'était pas dans mon musée-placard à côté de mes dents) et elle dit à Vera qu'elle l'a enlevé ce matin pour ne pas le salir pendant qu'elle mangeait son déjeuner et qu'elle a ensuite oublié de le remettre.

— Quoi ? dis-je.

Patsy répète la partie à propos du déjeuner et ensuite commence à mâchouiller sa gomme à effacer.

Ma parole. Patsy Cline Roberta Watson ne raconte *jamais* de mensonges. Et elle n'est pas très bonne pour le faire.

Mais Vera ne doit pas penser ça, parce qu'elle sourit et elle dit :

— Oh, c'est pas grave. On peut être pareilles demain.

En regardant le visage de Patsy, on dirait qu'elle souffre, comme si le fait d'avoir raconté ce gros mensonge lui fait mal à l'intérieur. Elle a l'air si horrible que ça me donne presque le goût de lui redonner son collier. Mais là, l'idée que Patsy et Vera soient le genre d'amies qui s'échangent des ensembles et qu'elles achètent des choses pareilles me fait mal à l'intérieur aussi, donc je ne dis rien.

— N'oublie pas encore, d'accord ? dit Vera avant de s'en aller à son pupitre.

— D'accord, dit doucement Patsy Cline.

Je lui lance un regard qui dit : « Ça, c'était un énorme mensonge. »

Mais Patsy n'est pas aussi bonne que moi pour savoir ce que veulent dire les genres de visages différents, donc quand elle voit que je la regarde fixement elle dit :

— Quoi, Penelope ?

Et ses mots sont des lances.

— Rien, lui dis-je en faisant semblant que je ne sais pas ce qui se passe et que j'attends qu'elle me dise la vérité à *moi*, Penelope Crumb, sa prétendument meilleure amie. Mais elle ne le fait pas.

— Est-ce que tu veux venir chez moi après l'école ?

Elle hoche la tête.

— Non, merci.

— Pourquoi pas ?

— Il faut que je m'occupe de certaines choses, dit-elle.

— Quelle sorte de chose ?

— Juste des choses.

Puis, elle sort son cahier de mathématiques de son pupitre et elle l'ouvre.

— Patsy Cline, si tu ne veux pas me dire quelle sorte de choses, alors dis-le-moi.

Et là, elle me fixe d'un air sérieux et son regard me dit qu'elle ne veut pas me le dire.

— Humpf, dis-je.

Et puis rien d'autre.

Si Patsy Cline ne sait pas qu'elle est censée me parler de ses problèmes, alors ce n'est pas moi qui vais le lui dire.

12.

— Je dois faire un rapport pour mademoiselle Stunkel? dis-je à maman aussitôt qu'elle arrive à la maison.

— Contente de te voir aussi, Penelope, dit-elle. Ça te dérange si j'enlève mon manteau et je dépose mon sac?

Je l'aide à enlever son manteau et je glisse le sac de son épaule. Le sac est rempli de livres, probablement sur le cerveau, et il tombe par terre.

— Attention, dit-elle.

— Pourquoi tu ne me l'as pas dit?

Voici ce que je veux savoir.

Maman dit:

— Penelope Rae.(Abdomen enflé.)

— Quoi?

— Tu étais assise avec nous lorsque mademoiselle Stunkel nous a tout expliqué, dit-elle.

— Ben, pourquoi je suis obligée de le faire?

— Parce que mademoiselle Stunkel semble avoir l'impression que tu crois que les musées ne méritent pas un bon comportement.

— Mais pourquoi elle pense ça?

— Oh, je ne sais pas. Peut-être à cause de ta crise et du fait que tu as perturbé l'expérience pour tous tes camarades de classe.

Je ne vois pas comment ma crise aurait pu perturber les autres puisqu'ils ne faisaient que magasiner de toute façon. Mais je décide de garder ça pour moi.

— J'aime les musées, dis-je. Je les aime beaucoup.

Pendant un instant ou deux, je pense à lui parler du musée dans mon placard. Pour qu'elle sache que je ne fais pas semblant. Mais mon musée n'est pas la sorte de musée qui est ouvert aux visiteurs.

— Alors, tu ne devrais pas avoir de problèmes à montrer à quel point tu les aimes dans ton rapport.

— C'est bon, dis-je.

Mais ça ne l'est pas vraiment.

Le plancher de mon musée commence à être bondé, donc je me fais toute petite dans un coin, en amenant mes genoux sur ma poitrine. J'examine ce que j'ai jusqu'à maintenant : un collier, des cheveux, des dents et un chausse-pied. Seulement, les dents ne comptent pas, parce qu'elles sont là juste pour la protection.

J'entends presque Léonard dire : « Un musée n'est pas vraiment un musée sans art ». Et il a raison.

Après que maman est allée se coucher, je me faufile dans la salle de lavage. J'allume la lumière et, cette fois-ci, c'est moi qui surprends Terrible. Il semble qu'on peut surprendre un extraterrestre parce qu'il sursaute et il crie, et il avait sûrement des crayons à dessin de maman dans les mains parce qu'ils tombent et se répandent partout.

— Qu'est-ce que tu fais avec les bons crayons à maman ? demandé-je. Ils sont juste pour le dessin.

Il se met à quatre pattes et passe son bras sous la sécheuse-bureau pour attraper les crayons qui ont roulé en dessous.

— Et alors ?

— Et alors, tu ne dessines pas, dis-je. Tu n'aimes même pas l'art.

Il se relève et remet brusquement les crayons dans les bocaux sur la sécheuse-bureau. Puis, il commence à s'éloigner, mais je plante mes pieds bien écartés et je le bloque. L'expression sur mon visage dit : « Je n'ai pas peur de toi. » Même si j'ai un peu peur. Mais les extraterrestres sont comme les chiens, et il doit sentir que j'ai peur, parce qu'il me montre ses dents d'extraterrestre et il grogne.

— Pousse-toi, dit-il.

Et je le fais, mais pas parce qu'il a dit de le faire. Parce que je suis en mission officielle pour le musée.

Il est parti depuis un bon moment, et je passe encore en revue la salle de lavage pour voir si je peux découvrir ce que Terrible mijotait vraiment. Mais je ne vois que des cerveaux. Des dessins de cerveaux, je veux dire. De toutes tailles et tous pleins de rides. Il y a des piles de livres d'intérieurs de personnes sur la sécheuse-bureau. Et il y a une pile de blocs de papier à dessin sur le tabouret en bois de maman.

Je ramasse un bloc de papier à dessin du dessus de la pile et je commence à le feuilleter. Il y a beaucoup d'intérieurs dégoûtants — des cerveaux, des cœurs et un qui ressemble à un vers géant gonflé qui dit « gros intestin ». Il y a encore les mêmes choses dans les deux blocs suivants. Lorsque j'arrive au bas de la pile, je m'attends à voir encore des intérieurs dégoûtants, mais au lieu, chaque page est un dessin de ma maman.

Je sais que maman est aussi douée pour dessiner les extérieurs des personnes que leurs intérieurs, mais elle ne le fait pas très souvent, donc j'oublie. Ce n'est pas facile de se dessiner soi-même, ça, je le sais. Je peux seulement dessiner mon visage si je trace tout autour, et même là, avec mon gros nez, je finis par ressembler davantage à un pingouin avec des cheveux longs qu'à moi-même, une personne de type non pingouin.

Ma maman n'a pas un gros nez remarquable comme moi et grand-papa Felix. Son nez est fin et petit et il convient parfaitement bien à son visage. La chose la plus remarquable chez elle est ses yeux. Ils sont gros et ronds et bleus, et lorsqu'elle est heureuse, on a le goût de plonger dedans et de nager sur le dos.

Mais sur ces dessins, les yeux de maman sont fermés.

Il n'y a pas de grandes piscines bleues où aller nager. Je ne sais pas pourquoi elle s'est dessinée comme ça, parce qu'à vrai dire, sans ses yeux, elle ne ressemble même pas à maman. Je continue à tourner les pages en espérant qu'elle va ouvrir ses yeux et me voir et m'inviter à y entrer.

Mais elle ne le fait pas. C'est là que je décide que maman a peut-être besoin d'aide dans le département des yeux. Je ramène ses dessins dans ma chambre et, sur chaque page, j'efface ses yeux fermés et j'en dessine des grands ouverts qui disent : « Tu peux entrer — l'eau est bonne. »

« Ah oui, ah oui, c'est splendide, dirait Léonard. Dieu merci qu'elle t'a pour aider. »

Puis, je saisis une autre assiette de l'armoire de cuisine et je dépose le bloc de papier à dessin dessus, ouvert à la première page. J'écris ceci sur la carte :

Dessins de maman Crumb faits par maman Crumb, qui est une excellente artiste d'intérieurs et d'extérieurs. Yeux faits par Penelope Crumb.

C'est en train de devenir un vrai musée, me dis-je. Maintenant, je n'oublierai jamais.

13.

u'est-ce que tu penses de celle-ci ? demande
grand-papa Felix en glissant une photo vers
moi de l'autre côté de sa table de cuisine.

Il a développé les photos du mariage et il vérifie son travail avant de le remettre. Sur cette photo, la mariée et le marié se tiennent sous une arche, main dans la main.

— Elle est bonne, dis-je.

— Qu'est-ce que tu trouves bon dans cette photo ?

J'étudie la photo.

— Eh bien, en premier, ils sourient tous les deux.

— C'est tout ce que tu as à dire ?

Il tape la photo avec le doigt.

— OK.

J'essaie encore.

— Ils n'ont pas les yeux rouges ou rien comme ça. Et tu n'as pas mis ton pouce devant, ce qui arrive habituellement lorsque maman prend des photos.

Je glisse la photo vers lui.

— Comme j'ai dit, elle est bonne.

Grand-papa Felix secoue la tête. Puis, il marmonne quelque chose à propos de photographies de mariage et il met cette photo dans une pile avec d'autres.

— Tu n'aimes pas les mariages ?

— Pas particulièrement.

— Moi non plus, dis-je. Je veux dire, je suis seulement allée à un seul, celui de tante Renn. Mais maman m'a fait porter des collants et des souliers qui pinçaient mes pieds, et lorsque le tout était fini, ils ont manqué de fromage jaune avant que je puisse en avoir.

— C'est hideux.

Puis, il s'arrête et il dit :

— Ça veut dire vraiment terrible et affreux.

— Ça l'était, dis-je. Hideux. Mais prendre des photos de mariage ce n'est pas si mal.

Grand-papa Felix se gratte la moustache et dit :

— C'est toi qui le dis.

Il glisse sur sa chaise pour s'éloigner de la table.

— On ne peut jamais revenir.

Je ne suis pas certaine d'où il veut revenir, mais avant que j'aie la chance de le demander, il dit :

— Un café ?

Puis, il me sourit et les lignes sur son visage deviennent plus profondes.

— Grand-papa Felix.

— Ah oui, j'avais oublié. T'essaies d'arrêter. Sage fille.

Pendant qu'il prend une tasse de l'armoire, je me fais un chemin à travers les photos empilées sur le plancher jusqu'à hauteur de mes genoux. Il y en a tellement que peu importe combien de fois je viens lui rendre visite, j'en trouve toujours des nouvelles. C'est-à-dire, des nouvelles pour moi. Cette fois-ci, j'en trouve une d'un colibri, prise de si près qu'on peut voir les plumes vertes sur son ventre.

— Le jardin botanique, en reportage pour la revue *Life*, me dit-il lorsque je lui montre la photo. J'ai dû rester immobile pendant plus d'une heure pour capter celle-là. Je me souviens que je souffrais d'affreuses allergies ce jour-là, et ça a tout pris pour que je n'éternue pas.

Ce colibri a une expression de surprise sur le visage comme s'il était censé être au régime et qu'il s'était fait prendre avec deux boules de crème glacée au caramel et aux pacanes. Je dis ça à grand-papa Felix et ça le faire rire.

— Au caramel et aux pacanes ?

Je regarde le colibri de nouveau et je fais signe que oui.

— C'est sa préférée.

Grand-papa secoue sa tête vers moi et sourit.

— Ah, Penelope.

Ce n'est pas facile de faire sourire grand-papa Felix, mais c'est quelque chose que j'aime tenter de faire. Parce que quand il sourit, je vois parfois mon papa sur son visage.

— Lorsque j'ai appris que tu n'étais pas mort et enterré, j'ai pensé que tu étais peut-être un aventurier du monde, à la chasse aux papillons rares ou quelque chose de la sorte.

— C'est vrai ? dit-il.

Je lui dis que oui et il dit qu'il est désolé de me décevoir.

— Ça ne me déçoit pas, dis-je. Tu étais à l'aventure à attraper des colibris, sauf que c'était avec un appareil photo au lieu d'un filet.

Son visage commence à s'assombrir un peu, donc je plonge dans une autre pile pour trouver quelque chose qui pourrait l'égayer de nouveau. Je pense que cette photo en noir et blanc d'une chute gigantesque pourrait faire l'affaire. Je la retire de la pile, mais lorsque je fais ça, un morceau de papier de la taille d'une carte postale flotte jusqu'au plancher.

Monsieur Crumb,
Nous vous remercions d'avoir posé votre candidature
pour le poste de photographe officiel de la revue Vivre
à Portwaller. *Nous avons reçu beaucoup de demandes.*
Après avoir examiné le matériel que vous avez soumis
avec votre demande, nous avons décidé de ne pas vous
offrir un entretien.
Nous vous souhaitons la meilleure des chances dans
vos recherches.

— Qu'est-ce que c'est ? dis-je en lui apportant la carte.

Il dépose sa tasse de café sur la table et regarde la carte en plissant les yeux. Puis, il me la prend et la lance dans la poubelle.

— Ce n'est rien. Ce qui est environ ce que ma vie en tant que photographe vaut ces jours-ci. Quarante ans à travailler pour les gros bonnets, et maintenant je ne peux même pas trouver un travail pour prendre des photos pour une feuille de chou locale.

— Je ne savais pas que tu voulais travailler pour cette revue, dis-je.

— Je ne le veux pas, dit-il en me donnant une petite tape sur la tête. Je ne le veux pas.

— Alors, pourquoi...

— On ne peut jamais revenir, dit-il. Quand c'est parti, c'est parti.

Il soupire et regarde les piles de photos éparpillées dans la pièce.

— Parfois, on est obligé de renoncer.

— Tu ne peux pas renoncer, dis-je.

Surtout que j'essaie si fort de m'agripper.

— C'est aussi bien comme ça.

Il prend une photo sur le dessus d'une des piles.

— Il est à peu près temps que je fasse quelque chose avec tout ça. C'est le bon moment. Mon propriétaire veut faire peinturer tous les appartements, donc je dois sortir toutes ces choses d'ici.

— Qu'est-ce que tu vas faire ?

— Pour tout de suite, je vais m'étendre.

Ses épaules sont si voûtées lorsqu'il s'éloigne que j'ai peur qu'il casse en deux. Je ne sais pas comment, mais ça n'arrive pas, et une fois la porte de sa chambre à coucher fermée, il ne reste que moi et toutes ses choses.

— Il ne faut pas renoncer, dis-je doucement.

Et en parlant aux piles.

— Je ne renonce pas.

Je peux presque entendre les appareils photo de grand-papa Felix, ses amis, dans leurs sacs à côté de la bibliothèque, cliquer leur approbation. Je sors Alfred du petit sac en cuir brun tout en gardant une oreille ouverte pour grand-papa. Alfred est solide et froid dans le creux de mes mains. Les boutons et les molettes argentées sont aussi lisses que des cailloux, et il ne leur reste qu'un peu de lustre qui n'a pas été enlevé par le frottement des grandes mains rugueuses de grand-papa.

— Alfred, chuchoté-je en le plaçant délicatement dans mon coffre à outils à côté de mon bloc de papier à dessin, tu viens avec moi.

14.

lors que le métro vibre et tremble, je serre mon coffre à outils. À chaque arrêt, je lance un coup d'œil à l'intérieur, un tout petit, pour m'assurer qu'Alfred ne se fait pas trop secouer. Et peut-être, de temps en temps, peut-être, je dis même quelque chose du genre « Est-ce que ça va là-dedans ? » et « Attends de voir ta nouvelle maison », jusqu'à ce qu'une femme dans le siège derrière moi me tape sur l'épaule et me demande :

— Qu'est-ce que tu as là-dedans ? Un chaton ?

— Non, juste un appareil photo.

Elle plisse le front comme si elle ne me croyait pas et elle dit :

— Mais voyons.

Donc, je la laisse regarder très rapidement. Mais je pense qu'elle espérait vraiment voir un chaton, parce que après elle me lance un regard méchant qui dit : « Essaie pas de rire de moi. » Et ensuite, elle change de place.

Après ça, je garde mon coffre à outils fermé pendant tout le trajet jusqu'à la maison.

Lorsque j'arrive à notre immeuble, Littie et sa maman sont en train de sortir. Maman Maple me dit bonjour, mais Littie me fait un faux sourire qui dit : « Je veux encore savoir qu'est-ce qu'il y a dans ton placard. »

Je lui lance un regard qui dit « Je ne sais pas de quoi tu parles », et je rentre.

J'emprunte une autre assiette de notre armoire et je mets Alfred dessus, juste à côté du collier et des cheveux de Patsy Cline. Puis, j'écris sur une carte :

Alfred, l'appareil photo, appartient à Felix Crumb, excellent photographe et grand-papa.

• • •

Il y a un problème entre Patsy et Vera Bogg, Dieu merci. Je le sais parce que lorsque je vais à mon pupitre, Patsy Cline me saisit le bras et me tire vers le tableau d'affichage de mademoiselle Stunkel. Sous les grosses lettres vertes qui disent L'ORGANISATION EST LA CLÉ DU SUCCÈS, Patsy me chuchote :

— J'ai un problème.

— Tu portes un col roulé à motifs de zèbre, dis-je.

Ce qu'elle ne fait jamais parce que les zèbres ont une queue.

Elle dit oui en grattant son coude, mais que ce n'est pas ça le problème. Puis, elle regarde par-dessus mon épaule et dit :

— Je dois te dire quelque chose.

Je ne peux m'empêcher de sourire. Enfin, Patsy Cline va me parler de son problème tout comme une meilleure amie doit le faire.

— Tu te souviens du collier avec l'oursin que j'ai eu au Musée d'histoire de Portwaller ?

— Je ne suis pas sûre, dis-je.

Quand on fait semblant de ne pas savoir quelque chose, il faut agir comme si on ne l'avait pas mis sur une assiette dans son placard à la maison.

— Il y a « amies pour toujours » écrit dessus. Comme celui de Vera. Tu ne t'en souviens pas ?

— Je ne sais pas, dis-je. Est-ce que c'est un collier ?

— Je viens de dire que c'était un collier, dit Patsy. En tout cas, je l'ai perdu, je ne sais pas comment.

— Ah oui ? dis-je. Où ? Ici ? Dans le corridor à côté du portemanteau ?

Faire semblant est plus difficile que ça en a l'air.

— Penelope, si je savais où je l'avais perdu, alors il ne serait pas perdu. Il serait trouvé. Et je le porterais en ce moment. Qu'est-ce que tu as ?

— Ah, c'est vrai. Désolée.

— Le problème est que Vera n'arrête pas d'en parler, mais je ne sais pas quoi lui dire.

— T'as juste à lui dire que tu l'as perdu. Ou, attends ! Laisse-*moi* le lui dire.

— Non, dit Patsy. Vera est différente.

— C'est sûr qu'elle est différente, dis-je en secouant la tête. Tout ce rose.

Patsy Cline lève les yeux au ciel et dit que ce n'est pas ça qu'elle voulait dire. Puis, elle dit d'une voix toute timide :

— Je veux qu'elle m'aime.

— Pourquoi ?

Vexée, elle dit :

— Pour qu'elle soit mon amie.

Ces mots manquent me faire mourir. On me laisse encore seule, tout comme dans le Musée d'histoire de Portwaller, seule avec les autres choses qui ont été oubliées. Voici comment se sent un ourson miteux.

— Et moi alors ? dis-je en retenant mon souffle.

Avant qu'elle ait la chance de répondre, Vera Bogg est à côté de nous.

— Est-ce que tu penses qu'on aura un test-surprise sur les pourcentages aujourd'hui ? demande Vera en fixant Patsy.

On dirait que Patsy fait une réaction allergique à son chandail et elle ne répond pas. Donc je dis :

— Je crois que nous avons cinquante pour cent de chance.

Ce qui est une chose assez intelligente à dire, d'après moi. Mais Vera me regarde avec un air tout sérieux et dit :

— Vraiment ?

Eh bien.

Vera commence à parler de comment mademoiselle Stunkel aime donner des tests-surprises, ce que tout le monde sait déjà. Et pendant tout le temps que Vera parle, elle tient son collier et glisse le petit oursin plat le long de sa chaîne en fixant le col roulé de Patsy. Finalement, elle dit :

— Patsy Cline, as-tu encore oublié ton collier ?

Maintenant, c'est Patsy qui a l'air sur le point de mourir.

— Mmh, eh bien, euh. Je ne sais pas. Mmh. Perdu.

— Perdu ? dit Vera. Où ?

— Si elle savait où elle l'avait perdu, dis-je, alors il ne serait pas perdu. Il serait trouvé. Et là, il pendrait autour de son cou.

Et là, je lance un regard à Patsy qui dit : « Tu vois comme tu es chanceuse de m'avoir comme meilleure amie ? »

Mais Patsy ne doit pas penser qu'elle est chanceuse du tout, parce qu'elle dit :

— Ne sois pas comme ça, Penelope.

Puis, elle dit à Vera :

— La chaîne se prenait toujours dans mes cheveux, donc je l'ai enlevée une minute et je l'ai perdue. Je suis désolée qu'on ne puisse plus être pareilles.

Je ne sais pas ce que Patsy pensait que Vera Bogg allait dire, mais tout ce qu'elle dit est :

— Je peux t'aider à le chercher.

Tout d'un coup, la réaction allergique de Patsy semble terminée. Et elle a un sourire que je n'ai jamais vu sur son visage. Et maintenant, même sans les colliers assortis, Patsy est toujours en train de partir.

15.

Assise en tailleur dans mon ultra-musée des personnes à ne pas oublier, je tiens le collier à oursin plat de Patsy Cline dans ma paume et je me demande à quel moment Patsy va m'oublier. J'ai essayé tellement fort de m'assurer que je n'oublierai pas qui que ce soit, mais comment est-ce que je peux m'assurer que je ne serai pas oubliée ?

Puis, je me dis que Patsy a peut-être besoin d'un collier pour se souvenir de moi. Pour se souvenir que je suis sa meilleure amie, pour s'en souvenir pour qu'elle ne veuille plus partir.

Je choisis une de mes meilleures dents de la boîte en métal et ensuite je prends un cheveu du dessus de ma tête et je tire. Ce qui fait vraiment mal, donc je n'en tire qu'un de plus. J'enroule les deux cheveux autour de ma dent et j'attache le tout avec un mince ruban rouge que je trouve dans mon tiroir à bricolage. Ensuite, je découpe un gros P et un gros C d'une des feuilles de mon bloc de papier à dessin.

Mon tiroir à bricolage est rempli d'autant de papiers, de colle et de brillants qu'on pourrait imaginer, mais il n'y a aucune ficelle. Je fouille dans les tiroirs et armoires de la cuisine, mais je ne trouve qu'un élastique et une attache de sac à pain.

En retournant à ma chambre, j'arrête devant la porte de Terrible et je colle mon oreille contre les autocollants ENTRÉE INTERDITE! et DANGER! et SI VOUS POUVEZ LIRE CECI, VOUS ÊTES TROP PROCHE! Je frappe doucement sur la porte et je l'ouvre.

— Es-tu là?

Je plisse les yeux dans la chambre sombre, mais je ne le vois pas et je ne le sens pas.

Je tâte le mur pour trouver le commutateur et j'allume la lumière. Contrairement à ma chambre, la chambre de Terrible est rangée et organisée. On peut même voir le plancher. Parce que voici une chose que je sais sur les extraterrestres : ils n'aiment pas le désordre. Pas de vêtements sales par terre, pas de sandwichs à moitié mangés sur le bureau, même pas de poussière. Et, malheureusement pour moi, pas un seul bout de ficelle nulle part.

Pendant que je cherche, par contre, je trouve une pile de cahiers à reliure spirale dans le premier tiroir de son bureau. Sapristi, des journaux intimes d'extraterrestre. J'en sors un et je l'ouvre. La NASA aimerait peut-être savoir comment pensent les extraterrestres. Mais au lieu de trouver « Cher journal, aujourd'hui, j'ai trouvé deux chatons dans les égouts et je les ai mangés au déjeuner » (parce que c'est ça que les extraterrestres font), il y a un magnifique dessin d'un immeuble. Il a plus de vingt étages de haut et ses fenêtres sont en forme de triangle.

Au début, je pense que ça pourrait être un immeuble de la planète mère de Terrible, mais au bas de l'édifice, il a dessiné des voitures et un feu de circulation. Et tout le monde sait que les extraterrestres ne conduisent pas, donc… Sur la page suivante, un autre immeuble. Celui-ci est une maison avec une grande cour à l'arrière et des fleurs, et du gazon vert à l'avant. Il a même dessiné chacune des pièces de la maison et les a identifiées. Des choses normales comme la cuisine et des salles de bains, et des chambres à coucher. Mais il a aussi dessiné une grande pièce de travail pour maman, avec un vrai bureau, une grande chambre identifiée « Terrence » avec sa propre salle de bains, et ensuite…

— Oh là là.

Il y a une chambre avec mon nom où on lit « Salle d'art de Penelope ». Oh que j'aimerais vivre dans un endroit comme celui-ci avec ma propre salle d'artiste ! J'imagine la taille du musée que je pourrais y faire ! Je mets le cahier sous mon bras, parce que ça c'est le Terrible dont j'aimerais me souvenir.

Je fais une carte pour mon musée sur laquelle j'écris :

Dessins de Terrible Crumb, l'extraterrestre casse-pieds, artiste secret et parfois frère assez gentil de Penelope Crumb

J'entends presque Léonard dire : « Un esprit artistique rapproche les frères et sœurs plus qu'ils ne le pensent. »

— Il est quand même un extraterrestre, répondé-je. Et j'ai toujours besoin d'une ficelle pour le collier de Patsy.

Je roule délicatement la dent enveloppée de cheveux entre mon pouce et mon index jusqu'à ce que je trouve la meilleure idée de tous les temps : de la soie dentaire, à saveur de menthe et cirée. Ce que je crois sera idéal, parce que quand Patsy portera ce collier, elle pourra aussi déloger les raisins secs de ses dents.

Pendant que j'assemble le collier de Patsy avec la soie dentaire, j'entends un vacarme provenant de la salle de lavage, assez fort pour que je puisse l'entendre dans mon placard. Des papiers qu'on déplace et des livres qu'on transfère d'un côté et de l'autre. Et ensuite la voix de maman.

— Où diable ai-je mis ça ?

Je continue à assembler.

— Patsy Cline ne m'oubliera pas de sitôt lorsque je lui donnerai ce collier, chuchoté-je à Léonard.

« Très vrai, tu es une originale à ne pas oublier, dirait-il sûrement. » Et cette pensée me fait sourire.

— Est-ce que quelqu'un a vu mon bloc de papier à dessin bleu ? demande la voix de maman.

Je fige et je fixe le bloc de papier à dessin bleu devant moi. Et là, rapidement, je ferme la porte de mon placard et je me cache.

16.

J'attends Patsy Cline à côté du portemanteau à l'extérieur de la classe de mademoiselle Stunkel et je tiens
son collier très fort. L'odeur de la menthe poivrée
me donne le goût de passer la soie quelque part, donc j'espère
que Patsy arrivera bientôt.

Lorsque je vois Patsy, le cœur me saute dans la gorge,
mais ensuite arrête de battre quand je vois cette Vera Bogg
à côté d'elle. Lorsqu'elles s'approchent, je vois qu'elles ont
encore échangé leurs vêtements — Patsy porte une chemise
rose avec les volants sur le devant. Et c'est là que je comprends que Patsy, cette nouvelle Patsy avec ses volants roses
de Vera Bogg et son grand sourire, ne porterait jamais le
collier que j'ai fait pour elle. Cette Patsy Cline ne porterait
seulement qu'un collier acheté en magasin.

Je mets le collier sous mon bras pour qu'elles ne le voient
pas. Puis, je tente une dernière chose.

— Je l'ai trouvé, dis-je. J'ai trouvé ton collier.

— C'est vrai ? dit Patsy en faisant un grand sourire —
comme si on venait de lui donner un poney fait de gui-
mauves. Vrai de vrai ?

— Juré craché, dis-je.

— Où ? demande Vera Bogg.

— Ici, à côté du portemanteau.

— Non, je veux dire où est-il ?

— Oh, dis-je. Il est chez moi.

Puis, je conte une histoire qui est partiellement vraie sur comment j'ai trouvé le collier (ce qui est vrai) hier (ce qui n'est pas vrai) après le départ de tout le monde, et que je l'ai apporté chez moi pour le garder en sécurité (un peu vrai), mais que j'ai oublié de l'apporter aujourd'hui (pas vrai).

— Je l'apporterai lundi.

Patsy Cline me serre dans ses bras et chuchote « merci » dans mon oreille. Je la serre aussi, et c'est comme si on pouvait redevenir meilleures amies. Et peut-être que si je la tiens très fort, je peux rompre le charme de Vera Bogg et Patsy ne se séparera plus de moi. Mais pendant que je la tiens, j'oublie le collier serré sous mon bras et il tombe par terre.

Évidemment, Vera Bogg le remarque.

— C'est quoi ça ? demande-t-elle.

Patsy me relâche.

— Quoi ? demandé-je.

— Ça, dit-elle en se penchant pour le ramasser.

— Oh, *ça*, dis-je. Ça, c'est un collier.

Et là, cette Vera Bogg l'approche de son visage comme si elle n'avait jamais vu un collier de sa vie.

— Et, c'est pourquoi ?

— C'était *pour* Patsy Cline, dis-je en croisant les bras sur ma poitrine.

Les yeux de Patsy deviennent très grands et l'expression sur son visage dit : « Vraiment, pour moi ? » Et je suis sur le point de dire « Oui, pour toi, Patsy Cline », mais le cri de Vera Bogg m'interrompt.

— Une dent! hurle Vera Bogg. Une dent!

Elle laisse tomber le collier, et moi et Patsy nous penchons en même temps pour le ramasser. Patsy y arrive en premier. Elle le ramasse.

Les cris sortent toujours de la bouche de Vera, des cris de meurtre, et sa bouche est si grande ouverte quand elle crie que je vois presque ses amygdales. Qui sont aussi roses. Et elle n'arrête pas jusqu'à ce que mademoiselle Stunkel arrive en courant.

— Bon Dieu! Qu'est-ce qui se passe ici?

Vera Bogg montre du doigt le collier dans les mains de Patsy et crie :

— Une dent!

Pour la centième fois.

Mademoiselle Stunkel dit :

— Fais-moi voir, Patsy.

Et là, elle prend le collier de Patsy en le tenant par la soie dentaire. Pendant ce temps, les autres enfants de ma classe, y compris Angus Meeker, s'attroupent autour de nous pour tenter de voir qui se fait tuer.

— Il y a un P et un C, dit mademoiselle Stunkel.

Elle me désigne avec son doigt d'os de poulet et replie le bout vers elle.

— Penelope Crumb, suis-moi.

Je la suis jusqu'à son bureau.

— Est-ce que c'est à toi? demande-t-elle.

— Le collier ou la dent ?

— Ça, dit-elle en le tenant éloigné d'elle, c'est un collier ?

Je fais signe que oui.

— Il n'est pas à moi, pas vraiment, parce que je l'ai fait pour Patsy Cline. Il lui appartient. Nous avons les mêmes initiales.

— Et la dent est… ?

— À moi.

Elle soupire.

— À toi.

Puis, elle me remet le collier et me dit de venir la voir après l'école, parce que je ne lui ai pas donné le choix d'envoyer un billet à la maison à ce propos.

Sapristi.

— Tiens, dis-je en donnant à maman le billet de mademoiselle Stunkel aussitôt que j'arrive à la maison.

— Penelope, dit-elle. Pas encore.

Je lui épargne la douleur d'avoir à le lire et je lui dis ce qui s'est passé.

— J'ai apporté une dent à l'école pour Patsy Cline.

— Quelle sorte de dent ?

— La sorte qui est sortie de ma bouche.

Elle dit :

— Ne fais pas l'impertinente.

Ce que je ne faisais pas du tout.

— Pas une qui a du sang dessus, dis-je.

— Penelope Rae. (Genou disloqué.)

Elle remet le billet dans son sac à main.

— Nous reparlerons de ça plus tard. Je dois aller voir Felix. Des personnes sont venues peinturer son appartement et il croit qu'elles ont pris des choses.

Mes joues commencent à brûler.

— Elles ont pris des choses ?

Maman saisit ses clés sur la table de l'entrée et secoue la tête.

— Je ne sais pas comment il fait pour savoir qu'il manque quelque chose, étant donné l'état de son appartement.

— Il manque quelque chose ? Qu'est-ce qui manque ?

Puis, je mets les mains sur mes oreilles parce que j'ai peur de ce qu'elle va dire. Mais, je ne sais pas comment, sa voix passe quand même à travers mes doigts parce que j'entends quand même maman dire :

— Probablement rien. Tu connais Felix.

Et au moment où je pense que c'est sécuritaire d'enlever les mains de sur mes oreilles, elle dit :

— Je ne suis pas certaine. Quelque chose à propos d'un appareil photo.

C'est là que je deviens presque morte.

Mais maman ne semble pas remarquer parce qu'elle est à moitié sortie de l'appartement lorsqu'elle se retourne et dit :

— En tout cas, ton frère est en charge. Ce qui me fait penser. Terrence !

Il répond en criant de sa chambre.

— Quoi ?

— C'est à ton tour de faire la vaisselle. Et fais attention à nos assiettes. Elles ne sont pas chères, mais il ne nous en reste que deux et si tu continues à en casser, on va devoir manger directement sur la table.

Terrible passe la tête dans la porte de sa chambre.

— Je n'ai pas cassé d'assiettes. Demande-lui à *elle*.

Il veut dire moi. Et de la manière qu'il le dit, je me demande s'il est au courant pour mon musée. S'il sait que c'est moi qui ai pris les assiettes. Et les autres choses aussi.

Tout d'un coup, je deviens nerveuse et je transpire. Je regarde maman en secouant la tête et je dis :

— C'était pas moi.

Et là, je ne sais pas ce qui me fait faire la chose suivante, parce que j'aurais pu juste arrêter à ce moment-là, mais j'imagine que j'ai peur que mon musée soit découvert et aussi parce que j'ai pris Alfred ; donc, je fais un signe du pouce vers la chambre de Terrible au bout du corridor et je chuchote :

— Il n'a probablement pas fait exprès. Il est un peu maladroit, tu sais.

Maman me fait un clin d'œil et sourit, comme si elle savait que Terrible ne pouvait s'empêcher de casser des choses. Puis, elle me demande si je me sens bien, parce que j'ai l'air un peu pâle, et je lui dis que je pense que je vais aller m'allonger.

Elle touche le bout de mon nez avec son doigt et dit :

— Bonne idée. Et dis à Littie qu'elle peut rester à souper si elle veut, si sa mère est d'accord.

— Hein ?

C'est tout ce que je trouve à dire, parce que quand on est quasiment mort, c'est difficile de parler.

— Littie est ici, dit maman avant de partir. Elle est dans ta chambre.

L'idée que Littie est dans ma chambre TOUTE SEULE me ramène à la vie ; donc, je cours le long du corridor et ouvre ma porte en la poussant très fort.

— Littie Maple !

Elle ne répond pas tout de suite. Puis, une petite voix d'oiseau se fait entendre de mon placard.

— Je. Suis. Ici.

Et avant que je puisse prononcer un seul mot, elle apparaît dans le cadre de porte, les mains sur les hanches et une expression sur son visage qui dit : « Tu vas avoir de gros ennuis. »

— T'es pas censée être là, lui dis-je.

Personne n'est censé connaître l'existence de mon musée ni des choses que j'ai prises.

Elle secoue la tête et j'attends qu'elle me dise que je vais avoir de gros problèmes si quelqu'un apprend ce que j'ai fait. Mais là, je vois une chaîne en argent qui dépasse de son poing fermé.

17.

— u'est-ce que tu fais avec ça ? demandé-je.

Littie ouvre la main et dit :

— Qu'est-ce que TOI tu fais avec ça ?

— Rien.

Et là, je me souviens de ce que j'ai dit à Patsy.

— Je vais le redonner. À Patsy Cline.

— Tu as fait un musée, dit-elle.

Je fais signe que oui et tends la main pour le collier. Mais Littie met la main derrière le dos.

— T'aurais pu me dire ce que tu faisais, dit-elle. Je dis ça comme ça.

— Je voulais que personne ne le sache. Tu ne vas pas le dire, hein, Littie ?

Je remue les sourcils en la regardant pour qu'elle comprenne que je suis sérieuse.

Littie fait la moue comme si elle n'en était pas sûre.

— Pourquoi est-ce que tu l'appelles l'ultra-musée des personnes à ne pas oublier ?

— Pour que je n'oublie pas de personnes. Et parce qu'elles sont assez importantes pour être dans un musée.

En entendant ça, le visage de Littie devient rouge vif.

— Eh bien, c'est vraiment une mouche dans un bol de chaudrée de maïs, n'est-ce pas ? J'imagine que je ne suis pas assez importante pour être dans ton musée. Tout comme je n'étais pas assez importante pour connaître l'existence de ton musée dès le départ. Si on n'est plus amies, t'as rien qu'à le dire.

— Littie…

— Je veux dire, je sais que je fais l'école à la maison et tout, et que je n'ai pas autant d'amis que toi, et que je suis parfois un peu trop fouineuse, je sais, mais…

— Littie…

— Ça ne veut pas dire que tu devrais m'oublier…

Mon Dieu. Je dis à Littie que nous sommes amies, et là elle dit :

— Amies pour toujours?

— Oui, Littie.

— Ouf!

Elle met la main sur son front et se laisse tomber sur le Tas.

— Et tu peux être dans mon musée aussi, dis-je. Si tu veux.

— Je veux, dit-elle. Mais est-ce que tu es obligée de garder tes dents là-dedans?

Puis, elle me tend le collier de Patsy. J'enveloppe l'oursin plat de mes doigts et je tire, mais Littie ne lâche pas tout de suite, comme si elle voulait que je la tire du Tas. Je continue à tirer sur le collier parce que je ne le lâcherai pas, et là, il y a un gros bruit sec sous nos doigts.

Littie commence à trembler de partout lorsqu'elle voit ce qui est arrivé. Je fixe le bout de l'oursin plat que je tiens

110

encore. Il ne reste que ES POUR TOUJOURS. Je me dis que moi et Patsy ne serons plus jamais meilleures amies pour toujours.

— J'm'excuse. J'm'excuse. J'm'excuse. J'm'excuse.

Littie approche sa partie « AMI » de la partie que je tiens, mais lorsqu'on essaie de les remettre ensemble, les morceaux d'oursin plat se défont encore plus. Jusqu'à ce qu'il ne reste qu'une petite pile de sable.

Cette fois-ci, je sais que je vais mourir et je me laisse tomber sur le Tas en me cachant la tête sous mes vêtements à suspendre. Je ne sais pas pendant combien de temps je suis morte, mais Littie me secoue pour me ramener à la vie et dit :

— Comment est-ce qu'on va arranger ça ?

Ça, c'est le truc avec Littie : elle n'abandonne jamais. Tout peut se réparer ; c'est comme ça que son cerveau fonctionne.

— J'imagine que la colle est hors de question, dit-elle en laissant les grains de sable glisser à travers ses doigts.

Je lui lance un regard qui dit : « Je ne pense pas que ça peut être réparé. »

Elle dit :

— On a juste besoin d'un peu de jus de cerveau. Réfléchissons.

Je ferme les yeux très fort, mais ne je réfléchis qu'au visage de Patsy Cline quand elle verra ce qu'il reste de son collier.

— Si seulement on savait où elle l'avait acheté, dit Littie.

— Je sais où. C'est au Musée d'histoire de Portwaller. Ça change quoi ?

Littie lève les yeux au ciel.

— Pourquoi tu ne l'as pas dit avant ? On a juste à aller au musée et en acheter un nouveau.

— Ce collier coûte de l'argent. Quinze dollars, je crois. As-tu quinze dollars ? Parce que moi, je ne les ai pas. J'ai mis tout mon argent…

— Quoi ?

Je me lève du Tas et je saisis la main de Littie.

— Viens.

— Où ça ? demande-t-elle, les yeux pétillants.

— Littie Maple, nous partons pour une autre aventure.

18.

Je dis à Littie que je vais la rencontrer devant notre immeuble. Puis, je prends mon coffre à outils et la carte de métro, et je me rends à la chambre de Terrible sur le bout des pieds. Sa porte est fermée, comme toujours, et sa musique joue très fort, mais puisqu'il est en charge, je fais ce que je suis censée faire et je lui demande si je peux aller au musée avec Littie. Je fais ça à partir du corridor dans le chuchotement le plus doux possible, avec la main sur la bouche. S'il ne sait pas qu'il ne peut pas entendre ce que j'ai dit, eh bien, ce n'est pas moi qui vais le lui dire.

Littie m'attend à côté du poteau téléphonique. De son pied, elle fait glisser un pain à hamburger moisi vers un pigeon affamé.

— Ou as-tu eu ça? lui demandé-je.

Elle montre notre immeuble du doigt.

— Je l'ai trouvé là-bas à côté de la poubelle.

— Qu'est-ce que t'as dit à ta maman?

— La vérité, dit-elle en jouant avec l'alarme autour de son cou. Qu'est-ce que tu as dit à ta maman?

— Rien. Elle est chez mon grand-papa Felix pour l'aider à chercher quelque chose.

Je grimace lorsque ces mots quittent ma bouche.

— Quelque chose qui n'est pas là.

— Qu'est-ce qui n'est pas là ? demande-t-elle.

— Alfred.

Je secoue la tête pour essayer de faire sortir cette pensée de mon cerveau.

— Peu importe. Allons chercher un nouveau collier pour Patsy Cline.

Le métro est bondé, donc Littie et moi trouvons une place où nous tenir debout vers l'arrière du train. Je dépose mon coffre à outils à mes pieds et je tiens la barre en métal. Un garçon dont les cheveux longs sont éloignés de son visage par une paire d'écouteurs tricotés saisit la barre au-dessus de ma main. Il me fait penser à Terrible, à part les cheveux longs et les écouteur, et le fait que ce garçon ne sent pas les vers à pêche mélangés au sorbet à l'orange et à la cire pour meubles.

— Littie, dis-je tout bas en lui donnant un petit coup avec mon coude. Voici un garçon qui n'est probablement pas un extraterrestre. Tu devrais peut-être l'aimer au lieu de Terrible.

Les yeux de Littie s'écarquillent et elle me lance un regard qui dit : « Je vais te tuer. »

Et là, je dis :

— Si tu avais un parapluie dans ta main, tu ressemblerais à mademoiselle Stunkel comme deux gouttes d'eau.

Après ça, Littie fait semblant qu'elle ne me connaît pas. Le train s'arrête brusquement à la station de la 7e rue et le garçon débarque. Lorsqu'il est parti, je me balance autour de la barre en métal en me tenant avec les deux mains et je me cogne contre Littie jusqu'à ce qu'elle arrête de faire semblant. Ça fonctionne après un moment parce qu'elle se retourne enfin vers moi comme si elle me connaissait et dit :

— Nous descendons au prochain arrêt.

Je ramasse mon coffre à outils, nous sortons de la station de métro et montons le long escalier roulant vers les pancartes où est écrit MUSÉE D'HISTOIRE DE PORTWALLER.

— Finalement, tu n'as jamais dit comment tu allais acheter un autre collier sans argent, dit-elle pendant qu'on monte les escaliers en brique du musée.

— J'ai de l'argent.

J'ouvre la porte et je la dirige jusqu'à la boîte de dons.

— Ici, dis-je en lui montrant la boîte. J'y ai mis quinze dollars et quatorze sous plus un sou noir canadien pendant notre sortie éducative avec mademoiselle Stunkel.

J'entre deux doigts dans la fente sur le dessus de la boîte et je commence à tâter.

— Qu'est-ce que tu fais ? crie Littie en me tirant le bras. Tu ne peux pas reprendre ton argent.

J'entre mes doigts encore plus loin.

— Je n'ai pas besoin de tout le reprendre. Ils peuvent garder le quatorze sous et le sou noir canadien.

— Mais, ça appartient au musée maintenant !

— Je le remettrai quand j'aurai d'autre argent, lui dis-je. Sinon, comment je vais faire pour acheter un nouveau collier à Patsy Cline ?

Littie continue de me tirer les doigts hors de la boîte pendant que je continue d'essayer de les y entrer. Littie à de petits doigts d'oiseaux, qui ne sont pas très forts, Dieu

117

merci ; donc, elle a beaucoup de difficulté à retirer les miens. Mais elle essaie et essaie encore jusqu'à ce que ce ne soit pas les mains de Littie qui m'arrêtent. Ces mains sont très poilues et elles sont grandes et rugueuses, comme si elles pouvaient faire sortir tout le jus d'une pomme en la pressant juste une fois.

— Qu'est-ce qui se passe ici ? dit un homme vêtu d'un complet gris et d'un nœud papillon rouge.

Il a le visage d'un bûcheron avec une grande moustache grise et un nez plat qui ne serait pas dans le chemin quand il grimperait aux arbres.

— Mmh, dit Littie.

Je sors les doigts de la fente et je lui raconte comment j'ai mis de l'argent dans cette boîte l'autre jour pour aider les personnes mortes partout dans le monde et comment j'ai maintenant besoin de le ravoir pour acheter un collier.

Lorsque j'ai fini de parler, il hoche la tête et se caresse la moustache, et je lance un regard à Littie qui dit : « Ça va bien aller. » Mais, elle n'a pas l'air de penser la même chose que moi parce qu'elle recule très lentement vers la porte.

— Où sont tes parents ? demande l'homme.

— Ma maman est chez mon grand-papa Felix en train de chercher un appareil photo que j'ai dans mon placard à la maison, dis-je. Et mon papa est mort et enterré.

Et là, il dit :

— Viens avec moi.

Encore une autre personne qui n'aime pas que je parle de choses mortes.

Littie dit :

— Nous n'avons pas le droit d'aller où que ce soit avec des étrangers.

Il pointe du doigt son porte-nom.

— Je m'appelle Jack. Je travaille ici au musée.

— C'est un bûcheron, chuchoté-je à Littie.

— Enchantée de vous rencontrer, Jack, lui dit-elle. Mais vous êtes quand même un étranger.

Jack me saisit le bras au coude.

— Et vous deux êtes des voleuses. Vous tentez de voler de la boîte de dons.

— On n'était pas en train de voler, dis-je en dégageant mon bras. Promis.

— Je sais ce que j'ai vu.

Il montre du doigt mon coffre à outils.

— J'imagine que tu traînes ça avec toi sans aucune raison.

Je ne sais pas ce que ça a à voir avec le prix du baloney, mais je dis :

— Ça appartenait à mon papa qui est mort et enterré.

— Nous allons laisser la police régler tout ça, dit-il.

Puis, il me saisit encore le bras.

— Littie !

Je lui montre du doigt la boîte noire qu'elle a autour du cou.

— Oh ! Bonne idée, dit-elle.

Puis, elle tire sur l'alarme. TUUT!! TUUT!! TUUT!! TUUT!! TUUT!! TUUT!! TUUT!! TUUT!! TUUT!!

119

TUUT!! TUUT!! TUUT!! TUUT!! TUUT!! TUUT!!
TUUT!! TUUT!! TUUT!! TUUT!!

J'entends Jack le bûcheron, par-dessus le son de l'alarme, dire un mot que je ne suis pas censée entendre puis il laisse mon bras. C'est là que je saisis la main de Littie et qu'on sort du musée en courant jusqu'à la station de métro. Chacune à son tour, on regarde en arrière de temps en temps pour être sûres qu'il ne nous pourchasse pas. Et de temps en temps, je regarde dans les arbres aussi, parce que c'est comme ça que les bûcherons se déplacent.

On arrête juste devant la station de métro pour reprendre notre souffle. Un homme avec des verres fumés verts et une casquette de base-ball rouge vend des portefeuilles étalés sur une table.

— Nous avons les authentiques. Les authentiques ici, devant vous. Et les prix sont imbattables. Je vais vous faire un bon prix. Lequel aimez-vous?

Il nous en montre un mauve avec une grosse boucle dorée sur le devant.

— Hé, les filles. Vous aimez celui-ci? Approchez un instant. Combien vous me donnez?

Littie passe les doigts autour de son alarme, mais je l'arrête et je dis :

— Ça va, Littie. Je sais comment on va faire pour avoir de l'argent pour le collier de Patsy.

19.

Je sors mon bloc de papier à dessin de mon coffre à outils et je commence à y détacher des dessins. Je les aligne contre le mur en ciment près de l'entrée de la station de métro. Tout d'abord, un œuf, un bocal plein de crayons au charbon de maman, un tube de peinture bleu outremer, la sandale que Littie a essayée, l'autocollant ENTREZ À VOS PROPRES RISQUES de Terrible, la main de Patsy Cline et ensuite grand-papa Felix qui dort sur son divan. Et en tout dernier, Alfred.

— Qu'est-ce que tu fais ? demande Littie.

— Quel prix je devrais demander ?

— Deux dollars chaque ? dit-elle. Il y a huit dessins ici, donc si tu les vends tous, tu aurais assez d'argent pour le collier. Bien sûr, ça serait un meilleur modèle d'entreprise si tu pouvais faire un profit ; donc, tu pourrais demander trois dollars chacun et il te resterait de l'argent. Mais si jamais trois dollars est trop cher et que tu ne les vends pas tous ?

Mon regard dit à Littie « Comment tu fais pour savoir tout ça ? ».

— Tu n'as qu'à dire deux dollars ou la meilleure offre, dit-elle.

Je dis d'accord et ensuite regarde les personnes qui passent. Certaines ne regardent même pas les dessins, comme s'ils n'étaient même pas là, et d'autres les regardent de travers et continuent de marcher. Ce qui est presque pire.

— Il faut que tu t'avances et que tu parles aux gens, dit Littie. Tu ne peux pas attendre qu'ils viennent te voir. C'est ce que Morgan Trunk dit tout le temps.

Puis, elle s'avance vers une foule de personnes qui est sur le point d'emprunter l'escalier roulant et dit :

— Regarde-moi faire, Penelope.

— Monsieur, dit Littie à un homme avec une serviette, vous avez manqué les magnifiques dessins d'une artiste prometteuse juste ici. Aimeriez-vous en acheter un ? Elle ne demande que deux dollars, ce qui est un investissement intelligent selon moi. Vous pourriez même la voir à la télévision un jour à l'émission de Morgan Trunk *Investissements intelligents avec Morgan Trunk* sur la chaîne neuf.

Je ne sais pas comment Littie a appris à parler comme ça. Mais à ma grande surprise, ça fonctionne parce que l'homme s'approche de moi et regarde mes dessins.

— Ça, c'est censé être quoi ? demande-t-il en montrant l'œuf.

Je ne suis pas sûre s'il ne sait pas que c'est un œuf ou s'il veut savoir quelle sorte d'œuf c'est. Donc, je lui dis que c'est un œuf de poule.

— Un brun.

Il hoche la tête et se gratte le menton.

— Brun ?

— L'œuf était brun, je veux dire. La poule était peut-être brune aussi, mais je ne l'ai jamais rencontrée, donc je n'en suis pas vraiment sûre.

Il regarde le dessin en penchant la tête d'un côté et ensuite de l'autre. Ce qui ne fait aucun sens selon moi, parce que peu importe comment on le regarde, c'est toujours un œuf. Puis, il dit :

— Est-ce que tu accepterais un dollar ?

Et je dis :

— Absolument.

Il me donne un billet de un dollar tout froissé. Je l'étends sur ma jambe et je le défroisse. Puis, je le replie et je le glisse dans ma poche.

— Encore quatorze, et tu auras ton collier, dit Littie.

Je souris à Littie et je lui dis qu'elle devrait être la présidente du monde un jour. Puis, elle me dit que ça n'existe pas un président du monde et que c'est important que le monde ait plusieurs chefs, pas juste un. Donc, je dis :

— Oublie ça, Littie. J'essayais seulement d'être gentille.

— Oh, dit-elle. Merci.

Je ne suis pas aussi bonne vendeuse que Littie, je crois, parce que je préfère regarder des dessins animés au lieu de Morgan Trunk à la télé. La seule personne que je convaincs de regarder mes dessins est une femme qui dit qu'elle me donne la moitié de son burrito pour le dessin de l'autocollant de Terrible.

— Tu ne vas pas manger ça, hein ? dit Littie en regardant le demi-burrito que j'ai déposé sur mon coffre à outils. Tu ne sais pas d'où il vient.

— Tout n'est pas dangereux, Littie.

— Je sais, dit-elle. Mais l'autre jour, quand j'écoutais les nouvelles chez toi, il y avait un reportage à propos de clous dans les bonbons d'Halloween.

— Ce n'est pas l'Halloween.

— Peu importe, je ne le mangerais pas quand même. Je dis ça comme ça.

On s'assoit, jambes croisées, sur le trottoir et on regarde le soleil se glisser derrière les immeubles de l'autre côté de la rue. Quelques personnes passent, mais les foules sont parties depuis longtemps, en chemin vers d'autres endroits. Le ciel devient orange et ensuite gris, mais personne ne s'arrête.

L'homme avec la table de portefeuilles commence à remballer ses choses.

— Il commence à faire noir, dis-je à Littie.

— Je devrais probablement m'en aller chez moi, dit-elle. Avant que maman commence à s'inquiéter.

— Il va falloir que je dise à Patsy Cline que je n'ai plus son collier.

S'il restait un espoir d'être amie pour toujours avec Patsy, cet espoir est maintenant disparu. Je ne peux plus m'accrocher quand il n'y a rien à quoi s'accrocher. Je ramasse mes dessins et je suis sur le point de les mettre dans mon coffre à outils lorsque quelqu'un derrière moi dit :

— Combien pour ça?

Je me retourne. L'homme qui vend les portefeuilles me fait un signe de la main et met ses verres fumés sur le dessus de sa casquette rouge. Puis, il montre du doigt le burrito.

— Combien?

— Tu veux acheter le burrito ? demandé-je.

— Je le déconseillerais, dit Littie. Il pourrait bien y avoir des clous dedans. Je dis ça comme ça.

— Pas ça, il dit. Le coffre. Combien pour le coffre ?

— Tu veux acheter mon coffre à outils ? Oh, euh, c'est à moi. Je veux dire, il n'est pas à vendre.

— Vingt dollars, dit-il. Je te donnerai vingt dollars pour le coffre.

Je regarde mon coffre à outils, ses coins rouillés, la peinture rouge écaillée.

— Penelope, il n'est pas à vendre, hein ? dit Littie.

Je n'avais jamais pensé que je pourrais renoncer à mon coffre à outils. Il me rappelle mon papa, et si je ne l'avais pas, ce serait comme si je n'avais jamais eu mon papa. Et je pourrais oublier qu'il a déjà été ici.

Grand-papa Felix a dit que parfois, il fallait juste renoncer.

Mais renoncer à quoi, au juste ? Renoncer au collier de Patsy Cline voudrait dire renoncer à Patsy Cline. J'ai déjà perdu mon papa, parti pour toujours, et je ne peux pas la perdre aussi. Je ne peux pas.

— Qu'est-ce que t'en dis ? dit l'homme.

20.

— Non, dis-je à l'homme. Il n'est pas à vendre.

— Dommage.

Il hausse les épaules et s'éloigne comme s'il pouvait oublier le coffre à outils et qu'il ne sera pas debout toute la nuit à y penser et à souhaiter l'avoir dans le lit à côté de lui.

Littie met la main sur mon épaule et dit :

— Nous trouverons un autre moyen d'avoir l'argent.

— Comment ?

Littie soupire et regarde tout autour.

— Je ne sais pas exactement comment. Mais il doit y avoir un moyen.

Je hoche la tête et j'essaie de lui faire un sourire, mais je ne vois pas quel autre moyen il pourrait y avoir. Tout ce que je vois est le visage de Patsy Cline lorsque je lui dirai que j'ai cassé son collier. S'éloignera-t-elle de moi, tout comme cet homme s'éloigne de mon coffre à outils, pour ne plus jamais penser à moi ?

Je ramasse mon coffre à outils et je presse les doigts contre les côtés en métal. Je ferme les yeux et dans la noirceur je peux voir chaque bosse rouillée et chaque plaque de peinture écaillée. Je peux voir où la peinture a disparu là où la poignée se repose contre le couvercle. Je peux entendre le clic du fermoir et le grincement de la poignée lorsqu'il balance.

— Viens, dit Littie. Allons-nous-en. Maman va s'inquiéter si je n'arrive pas à la maison bientôt.

Je suis Littie jusqu'à l'escalier roulant de la station de métro. Les marches descendent et descendent. Elles n'arrêtent pas. Des personnes nous dépassent et sont transportées par les marches jusqu'à ce que je puisse voir seulement le dessus de leurs têtes, et là, elles disparaissent complètement. Une fois dans l'escalier, je ne pourrai plus en descendre. Littie met la main sur la rampe et elle est sur le point de monter sur la marche, mais je lui saisis le bras et la tire vers l'arrière.

— Arrête.

— Que se passe-t-il ? dit-elle.

Je défais le fermoir de mon coffre à outils et je donne tout ce qu'il contient à Littie.

— Tiens ça pour moi.

Puis, je décolle les coins du ruban adhésif qui tient la photo de mon papa à l'intérieur du couvercle. Je retire la photo très lentement, en faisant attention de ne pas la déchirer, et je replie le ruban sur les bords de la photo. Je dis à papa que je suis désolée et ensuite je le glisse dans ma poche.

— Qu'est-ce que tu fais ? dit Littie.

Mais je ne peux pas regarder son visage, parce que si je le fais, je n'aurai plus de courage.

— Va-t'en à la maison, lui dis-je. Prends mes choses avec toi, OK ? Je retourne au musée pour chercher le collier.

— Tu vas faire quoi ? dit-elle.

Je serre le coffre à outils contre ma poitrine et je cours vers l'homme. Ses tables sont parties, tout est emballé et il referme la porte de sa camionnette.

— Attends! crié-je. Ne pars pas!

— Tu as changé d'idée à propos d'un sac?

Je hoche la tête et lui tends mon coffre à outils.

— Est-ce que tu veux toujours l'acheter?

— Tu es prête à y renoncer maintenant, hein?

Je fais signe que oui.

L'homme met la main dans sa poche et en retire un épais rouleau de billets. Il le déroule, en sort un billet et me le met dans la main. Puis, il tend le bras pour prendre mon coffre à outils.

Je pense entendre Littie dire mon nom lorsque mes doigts se desserrent.

Je lâche prise. Et dès que je le fais, mon papa meurt une fois de plus. Puis, arrivent les larmes.

21.

Je cours jusqu'au musée. L'air est plus frais maintenant, et il me gèle le visage mouillé. Les gens me regardent alors que je les dépasse en courant, avec le genre de regard qui dit : « Qu'est-ce qui se passe avec cette pauvre fille ? » Ce qui me fait pleurer encore plus fort.

Je devrais être capable de courir plus vite sans mon coffre à outils, mais mon cerveau est plein de ciment. Même mes doigts savent qu'il manque quelque chose. Ils se recourbent autour d'une poignée invisible, en faisant semblant que tout est comme d'habitude.

Grand-papa Felix a tort. Il ne faut jamais lâcher prise. Parce que lâcher prise veut dire parti pour toujours et ça ne reviendra jamais. Je force mes jambes à continuer en pensant très fort au collier de Patsy Cline. Et pendant que mes pieds frappent le trottoir, j'essaie d'éloigner tout ce qu'il y a dans mon cerveau — mon coffre à outils, mon papa, grand-papa Felix et Alfred. Même Jack le bûcheron, et comment je vais faire pour l'esquiver.

Je monte les marches du musée à toute vitesse, saisis la poignée de la porte à deux mains et je tire. La porte ne s'ouvre pas. Je cours vers le côté et j'essaie cette porte, mais elle est verrouillée aussi. Les vitrines sont sombres et je ne

vois personne à l'intérieur. Je cours jusqu'à l'avant encore et je frappe la porte avec mes poings.

— Hé! Est-ce qu'il y a quelqu'un?

Je crie assez fort pour que même l'ourson miteux puisse m'entendre. Mais personne ne vient.

22.

Lorsque j'arrive à notre immeuble, Littie est assise au haut des marches et elle m'attend. Les choses de mon coffre à outils sont empilées soigneusement à côté d'elle.

— Est-ce que tu l'as ? chuchote-t-elle.

Je hoche la tête.

— Il était trop tard.

Littie mâche son ongle de pouce.

— Ta maman vient de passer et elle te cherchait. Elle semblait vraiment fâchée.

— D'accord.

Je ramasse mes choses, tout ce qui habitait dans mon coffre à outils, mais qui n'a plus d'endroit où habiter du tout. Littie m'accompagne jusqu'à la porte de notre appartement.

— Je suis désolée pour ton coffre à outils, dit-elle.

— Moi aussi.

Avant que j'ouvre la porte, Littie dit :

— Attends !

Elle enlève l'alarme d'autour de son cou et la met dans ma main.

— Pour ton musée. Mais je ne pense pas que tu en auras besoin pour te souvenir de moi. Je dis ça comme ça.

Je lui fais un sourire.

— Je ne pense pas non plus, Littie.

— Mais ce n'est qu'un prêt. J'en aurai besoin pour la prochaine aventure.

Puis, elle s'en va en sautillant dans le corridor et se glisse dans son appartement.

Je prends une grande inspiration et j'ouvre la porte. J'ai à peine mis un pied à l'intérieur lorsque j'entends la voix de Terrible dire :

— Maman, elle est ici !

Les pas de maman déferlent vers moi dans le corridor, et avant même que je puisse enlever mon manteau, maman et Terrible sont devant moi.

— Nous devons parler, dit-elle d'un ton qui annonce les ennuis.

Le large sourire sur le visage de Terrible dit : « C'est le temps de s'installer pour profiter du spectacle. » Et j'ai bien l'impression que c'est *moi* le spectacle.

— Tout d'abord, où étais-tu ? demande maman. Il me semble que je t'ai précisé que ton frère était en charge.

— Ouais, je suis en charge, dit Terrible en enfonçant le pouce dans sa poitrine.

— Tu ne peux pas partir comme ça quand tu veux et aller où tu veux sans demander à quelqu'un ou au moins l'en aviser, mademoiselle.

Sapristi. Je suis encore « mademoiselle ».

— Ouais. T'es censée me le dire, dit Terrible en enfonçant le doigt dans sa poitrine de nouveau. Parce que je suis en charge.

Il a dû s'enfoncer le doigt trop fort, parce qu'il fait une petite grimace et il se frotte la poitrine.

Maman soupire.

— Terrence?

— Ouais, m'man?

— Ça suffit.

Elle me regarde.

— Et deuxièmement, et c'est assez gros, tu ne peux pas prendre les choses des autres, des choses qui ne t'appartiennent pas. Tu as neuf ans, presque dix, et tu devrais savoir ça.

— Tu es chanceuse de ne pas être en prison, dit Terrible. Pour avoir volé.

Il met les poignets ensemble comme s'il portait des menottes et fait des cercles en boitant.

— Terrence? dit maman.

Il arrête de boiter.

— Désolé.

— Voler? je dis. Je n'ai rien volé. Pourquoi tout le monde pense que je vole?

— Qui d'autre pense que tu voles? demande maman.

— Jack le bûcheron. Du musée.

— Tu as pris quelque chose du musée? dit maman avec un regard qui dit : « Je suis vraiment inquiète. »

— Nous savons ce que t'as fait, dit Terrible. J'ai trouvé ton placard, la nouille.

Ma parole.

— Terrence, dit maman, va appeler grand-papa Felix et dis-lui qu'on a trouvé son appareil photo et que Penelope va bien.

— D'accord, dit-il.

Puis, il se penche vers moi, si près que son parfum puant me fait tousser.

— Mais si jamais tu reviens dans ma chambre, je te donnerai une raison de parler tout le temps de choses mortes.

— On verra ce que la NASA a à dire à propos de ça.

Puis, je lui lance un regard qui dit : « T'as bien entendu, j'ai dit la "NASA". »

Il lève les yeux au ciel et s'éloigne, mais je peux voir qu'il est inquiet. S'il y a une chose que je sais des extraterrestres, c'est qu'ils ont peur de la NASA.

Maman me dit de venir m'asseoir à côté d'elle sur le divan. Terrible est au téléphone avec grand-papa Felix dans la chambre d'à côté et je l'entends dire :

— Il est ici. Nous l'avons.

Et ensuite :

— C'est Penelope qui l'a pris

— Est-ce que grand-papa est fâché ?

— Savais-tu que nous avons appelé la police et accusé ces peintres de l'avoir volé ? dit maman.

— Oh.

— Oh, oui, dit-elle. Sais-tu combien vaut cet appareil-photo ?

Je hoche la tête.

— C'est le préféré de grand-papa. Le premier qu'il a acheté. Nous l'avons nommé Alfred.

— Ce n'est pas ce que je voulais dire. C'est un appareil photo très cher. Il vaut beaucoup d'argent.

— Ce n'est pas pour ça que je le voulais pour le musée. Je le voulais pour qu'on n'oublie pas grand-papa Felix. Il a dit que ce qui avait de la valeur pour lui n'aurait aucune valeur pour qui que ce soit d'autre après qu'il sera mort, et je voulais lui montrer que ce n'est pas vrai.

— Penelope Rae. (Ulcère d'estomac.) Est-ce qu'on peut arrêter de parler de choses mortes, s'il te plaît?

— Désolée.

— C'est à grand-papa Felix que tu dois dire que tu es désolée, dit-elle. Il est très contrarié.

Je sens mon estomac se nouer.

— Ah oui?

— Eh bien, comment te sentirais-tu si tu perdais quelque chose qui était important pour toi? Et si…et si… Je ne sais pas… et si ton coffre à outils avait disparu?

Et c'est là que je recommence à pleurer. Maman me serre dans ses bras et me demande ce qui se passe. Mais je peux à peine dire les mots. Finalement, mes yeux n'ont plus d'eau et je reprends mon souffle, et je lui dis pour le collier de Patsy Cline et mes dessins, et comment le coffre à outils de papa est parti pour toujours, tout comme lui.

Pour une raison ou une autre, maman pleure aussi. Et je me dis que peut-être qu'elle n'a pas oublié papa après tout.

uelqu'un frappe à la porte.

— Tu peux entrer, Littie, dis-je du centre du Tas.

Sauf que ce n'est pas Littie du tout. Patsy Cline jette un coup d'œil dans ma chambre et dit :

— Salut.

Puis, elle dit :

— On dirait qu'un cochon a emménagé, a fait la fête et a oublié de laisser un pourboire à la femme de ménage.

Patsy Cline a vraiment toute une manière de dire les choses. Ça va vraiment beaucoup me manquer.

— Qu'est-ce que tu fais avec tout ça ? demande-t-elle.

Je montre du doigt mon placard.

— Je dois tout remettre dedans.

Elle regarde de l'autre côté du Tas pour voir dans mon placard. Elle lit à voix haute ce qui est écrit en lettres bleu outremer.

— L'ultra-musée de Penelope Crumb des personnes à ne pas oublier.

Puis, elle me regarde comme si elle attendait que je lui explique.

Je ne sais pas comment expliquer mon musée sans parler de son collier, et je ne veux vraiment pas parler de son collier. Donc, je change de sujet.

— C'est quand ta prochaine compétition de chant ? Veux-tu essayer mes souliers ? Est-ce qu'il pleut dehors ? Veux-tu voir ma collection de dents ?

Patsy dit :

— Ma maman attend dans la voiture, donc je ne peux pas rester. Nous revenons de ma leçon de chant et j'ai pensé arrêter pour venir chercher mon collier. Comme ça, je n'aurai pas à attendre jusqu'à lundi.

Tout d'un coup, je ne me sens pas bien.

— Tu n'as pas l'air bien, dit Patsy. Est-ce que tu as la gastro ?

Elle se couvre la bouche d'une main.

— Je ne crois pas, dis-je.

Puis, je me souviens de ce que ressent Patsy à propos des microbes (certains d'eux ont des queues).

— En fait, peut-être que oui.

Je fais semblant d'avoir un haut-le-cœur.

— Tu devrais peut-être t'en aller — pour ne pas l'attraper, je veux dire.

Patsy retient son souffle et gonfle ses joues. Puis, elle tend la main vers moi comme si elle voulait que je lui donne le collier, mais je fais semblant de ne pas savoir ce qu'elle veut.

En retenant toujours son souffle, Patsy agite la main d'un côté et de l'autre devant moi.

— Oh, dis-je en faisant semblant d'avoir un autre haut-le-cœur.

Ensuite, je fais semblant de penser qu'elle veut faire un tope là, donc je lui tape la main.

Elle relâche son souffle.

— Aïe !

Puis, elle secoue la main pour que les microbes tombent sur le plancher.

— Non, Penelope. Mon collier.

Elle fait le tour de ma chambre.

Sapristi. Je ferme la porte de mon placard, mais elle se coince sur une paire de sandales.

Patsy remonte le col de son chandail sur sa bouche et se faufile à côté de moi pour aller à mon placard. Sous son chandail, elle dit quelque chose. Le son est étouffé, mais on dirait que c'est : « C'est qui qu'il ne faut pas oublier ? »

J'essaie de la bloquer, de lancer les vêtements à accrocher devant elle, de secouer des microbes imaginaires sur elle, mais rien ne peut faire dévier Patsy Cline lorsque son cerveau décide de quelque chose. Elle passe à côté de moi et met la tête dans mon placard.

— Bâtons de Popsicle ! crie-t-elle. C'est quoi, cet endroit ?

Puis, elle trouve les cartes à propos de ses cheveux et de son collier et les lit à voix haute. Avec beaucoup de points d'exclamation. Je ne sais pas pourquoi, mais l'avoir dans mon musée en train de lire à propos de ses propres choses me donne envie d'enterrer ma tête dans le Tas et de tout oublier.

Puis, Patsy crie :

— Aïïïïïïïïïe !

Et c'est là que je sais qu'elle a trouvé ce qui reste de son collier.

— Je suis vraiment désolée, Patsy, dis-je. Vraiment, vraiment désolée.

Elle tient la chaîne d'une main et la pile de sables dans l'autre.

— Que diable lui est-il arrivé ?

— Littie a trouvé mon musée et elle a vu que j'avais ton collier, et je lui ai dit que j'allais te le redonner, et là je lui ai pris des mains, je l'ai à peine touché, mais les oursins plats se cassent vraiment facilement, et voilà ce qui s'est passé.

Patsy secoue sa tête.

— Il y a quelque chose qui ne marche pas. Pourquoi aurais-tu mis mon collier dans ton musée si tu allais me le redonner ? Et quelle sorte de musée n'a qu'un collier et un cheveu ? Et des dents ? Dit-elle en ramassant la boîte en forme de cœur.

— Oh non. Ton collier était l'une des premières choses que j'ai eues. Les dents étaient pour la protection et au cas où le collier s'ennuierait. J'avais d'autres choses aussi. Un cahier à dessin de ma maman, les dessins de Terrible, un appareil photo Alfred de mon grand-papa Felix et un chausse-pied de mon papa. Mais il a fallu que je redonne tout. Eh bien, à part le chausse-pied.

— Attends une minute, dit Patsy. Je croyais que tu avais trouvé mon collier juste hier.

Je ferme mes yeux et je lui dis la vérité.

— Je l'ai peut-être trouvé il y a quelques jours.

Patsy aspire plein d'air et ça fait un cri aigu. Mais aucun mot ne sort.

144

Donc, je remplis l'espace vide avec «à quel point je suis désolée» et que j'aurais dû lui dire que je l'avais trouvé plus tôt, mais qu'en vérité, je voulais garder le collier, pas pour moi, mais pour me souvenir d'elle parce que Vera Bogg l'éloignait de moi. Puis, je mets la main dans ma poche et je lui donne le vingt dollars que j'ai eu pour mon coffre à outils.

— Tiens, dis-je. J'allais t'acheter un nouveau collier avec ça, mais le musée était fermé.

Patsy prend l'argent sans même dire merci. Puis, elle met la chaîne en argent, le sable et l'argent dans sa poche arrière. Elle passe par-dessus les vêtements dans le Tas et se dirige vers la porte.

— Attends, dis-je avec les bras étendus. S'il te plaît.

Et à ma grande surprise, elle se retourne. Pour un instant, je pense qu'elle va me serrer dans ses bras et me promettre qu'elle va revenir demain pour qu'on puisse avoir un concours de regards fixes, qu'elle gagnera sans aucun doute. Et les choses redeviendront comme elles étaient avant.

Mais il n'y a pas de câlin ni de promesses. Au lieu de cela, elle retourne dans mon placard et prend son cheveu, la dernière preuve qu'elle était ma meilleure amie. En sortant de ma chambre, Patsy me lance un regard qui dit : « Je n'oublierai pas ça. »

J'espère vraiment qu'elle l'oubliera.

24.

e lendemain matin, juste après que le soleil est levé, maman me reconduit à l'appartement de grand-papa Felix. Je tiens Alfred doucement dans le creux de mes mains et je lui dis qu'il sera bientôt de retour à la maison.

Maman est silencieuse pendant presque tout le chemin, jusqu'à ce qu'on soit près de chez grand-papa et là elle dit :

— Ce n'est pas facile d'être toi, n'est-ce pas ?

Je hausse les épaules.

— Je ne sais pas comment être quelqu'un d'autre.

Elle hoche la tête et me fait un demi-sourire.

— J'imagine que c'est vrai.

— Je crois que Patsy Cline croit que je suis bizarre, dis-je.

— Pourquoi tu dis ça ?

Je regarde passer les personnes sur le trottoir par la fenêtre de la voiture. Des personnes que je ne connais pas et qui ne me connaissent pas.

— Parce que je ne suis pas Vera Bogg.

Maman dit qu'elle ne sait pas ce que ça veut dire ou ce qu'est un Vera Bogg. Je lui dis que Vera Bogg n'est pas un « quoi », elle est un « qui ». Et maman dit :

— La seule personne dont tu dois t'inquiéter d'être est Penelope Crumb. Et ça devrait être assez bon pour n'importe qui.

Mais je ne crois pas que ce soit assez bon pour Patsy Cline.

— Tu as fait des changements à mes dessins. Tu ne pensais pas qu'ils étaient assez bons ?

— Ils sont bons, lui dis-je. Mais tes yeux étaient fermés. Je voulais me souvenir de tes yeux.

Maman secoue la tête et me lance un regard qui dit : « Je ne sais pas ce que je vais faire de toi. »

— C'est comment être toi ? demandé-je.

Elle plisse les yeux comme si elle faisait travailler très fort son cerveau, et ça lui prend du temps avant de trouver une réponse. Lorsqu'elle arrive au trottoir devant l'appartement de grand-papa, elle dit :

— C'est rempli de défis. Parfois.

Puis, elle me caresse les cheveux.

— Mais, c'est aussi pas mal merveilleux.

— Peut-être que ce n'est pas facile d'être qui que ce soit. Même les personnes mortes ont le problème d'être oubliées, dis-je. Et aussi le problème d'être mortes.

Pendant un instant, je pense que maman va dire un mot que je ne suis pas censée entendre parce que j'ai encore parlé de choses mortes. Mais au lieu, elle rit un peu et dit :

— Sais-tu quoi, Penelope ? Tu as probablement raison.

J'ouvre la porte de la voiture. Ça ne sera pas facile avec grand-papa Felix, ça, c'est certain.

— Es-tu sûre que tu ne veux pas que j'entre avec toi ? demande maman.

Je serre Alfred dans mes deux mains et je hoche la tête.

— Je pense que ça va bien aller.

— C'est ce que je crois aussi, dit-elle.

Je serre Alfred contre ma poitrine d'une main et de l'autre je frappe à la porte de grand-papa. Je dois frapper quatre fois de plus avant d'entendre ses pas. Ce qui veut dire qu'il était encore en train de dormir sa vie.

Il ouvre la porte, et j'essaie de le regarder droit dans les yeux, comme il me dit toujours de faire. Mais c'est difficile à faire lorsqu'on a fait quelque chose de pas bien. Grand-papa Felix me regarde et ensuite regarde Alfred.

Il tend la main et j'y dépose Alfred.

— Tu as quelque chose à dire, alors ? dit-il.

Je lui dis que je suis désolée d'avoir pris Alfred, très désolée, et aussi désolée d'avoir causé des problèmes à ses peintres avec la police.

— Est-ce que t'avais planifié le vendre ou quelque chose comme ça ?

Les rides dans son visage sont profondes, comme si elles avaient été faites par une rivière il y a très longtemps avant qu'elle s'assèche et disparaisse.

— Je n'aurais jamais cru que toi, Penelope, aurais fait quelque chose comme ça.

Je deviens presque morte, à ce moment-là. J'essaie d'expliquer pour mon musée, et pour ne pas renoncer, mais ce n'est pas vraiment important, j'imagine, parce que en fin de compte, j'ai pris quelque chose qui ne m'appartenait pas.

— Tu ne peux pas garder des choses qui appartiennent à quelqu'un d'autre, dit-il. D'une manière ou d'une autre, elles retrouvent toujours leur chemin vers leur propriétaire.

— C'est vrai?

Parce que dans ce cas, peut-être que mon coffre à outils me reviendra un jour.

— Je ne sais pas. Mais ça serait bien, n'est-ce pas?

Il me dit d'entrer et d'alléger ma charge. Sauf que là, n'ayant plus de coffre à outils, je n'ai plus de charge à alléger, mais j'entre quand même.

Au début, je pense que je suis au mauvais endroit.

— Qu'est-ce qui s'est passé? dis-je. Tes piles sont parties!

Grand-papa Felix dit:

— Un café?

Et quand je dis non, il dit:

— Sage fille.

— Grand-papa, où sont parties toutes tes choses?

Il prend une gorgée de café.

— Laisse-moi te dire quelque chose. D'une certaine manière, tu m'as fait une faveur en prenant Alfred. J'ai fouillé l'appartement de fond en comble pour le retrouver et pendant que je faisais ça, je me suis mis à regarder toutes mes photos. Et là, j'ai décidé que c'était le temps de faire quelque chose d'elles.

Il se rend à sa bibliothèque et en sort une pile de livres. Il les ramène à la table et ouvre celui du dessus.

— Tu les as mises dans des albums, dis-je en tournant les pages.

— Maintenant, elles ont un bon endroit où vivre, dit-il. Pour toujours.

Il y a trois photos par page, dont certaines que je ne me souviens pas d'avoir déjà vues. La plupart sont de personnes que je ne connais pas ou d'oiseaux, ou de lézards, ou de fleurs prises de si proche qu'on peut presque les sentir.

Il y a une photo qui se démarque des autres, pas parce qu'elle est plus belle, mais parce qu'elle est différente. C'est une photo d'un arbre. Un qui est brun et dont toutes les feuilles sont parties. Ses branches vides piquent le ciel comme pour lui dire « Est-ce que quelqu'un se soucie de moi ? ».

— C'est pourquoi cet arbre mort ? demandé-je.

Grand-papa s'approche et regarde la photo. Il mâchouille sa lèvre pendant un instant et lorsque l'un de ses plis de cerveau trouve enfin la réponse, il dit :

— Cet arbre n'est pas mort, Penelope. Pourquoi penses-tu toujours que tout est mort ?

— Je ne sais pas, dis-je. Des fois, c'est comme ça.

— Cet arbre est en phase de sommeil d'hiver.

— Sommeil ?

— Il dort, explique-t-il.

— Oh.

Il regarde fixement la photo pendant un long moment.

— C'était l'arbre dans notre cour. J'ai grandi avec lui. Je grimpais jusqu'au sommet pour me cacher de tout le monde. Je passais des heures là-haut à lire des bandes dessinées et à prendre des photos. C'est étrange de s'ennuyer d'un arbre.

— Mais maintenant tu peux le regarder n'importe quand si t'en as le goût, dis-je.

Il sourit et les rides sur son visage ne sont pas si profondes.

— Et je peux m'en souvenir.

— Les lunettes du maire Luckett! dis-je en claquant la main sur l'album.

— Quoi ?

— Ça! Tes photos! dis-je.

— Qu'est-ce qu'elles ont mes photos ?

— Elles sont exactement comme les cheveux gris de Maynard C. Portwaller, et tout comme l'ourson miteux et même les photos de mariage que tu prends. Elles t'aident à te souvenir pour que tu n'oublies jamais.

— Ça se peut, dit-il en se frottant les poils du menton.

— C'est comme ton propre musée! dis-je.

Et à cet instant, j'aurais aimé avoir une photo de mon coffre à outils. Comme je le dis à grand-papa Felix, il me demande :

— Qu'est-il arrivé à ton coffre à outils ?

Je dis :

— Vite! Est-ce que je peux avoir une feuille de papier et un crayon ?

Pendant que grand-papa va les chercher, je ferme les yeux et j'imagine mon coffre à outils, sa poignée grinçante et ses coins rouillés. Ça lui prend une éternité pour en trouver. Je l'entends se promener dans la pièce en disant :

— Papier. Mmh. Papier. Enveloppes ? Non. Papier. Mmh. Papier. Où est-ce que j'aurais du papier ?

Après un long moment, il dit :

— Te voilà.

Et j'ouvre les yeux.

Je prends l'image que j'ai dans mon cerveau de mon coffre à outils et je la dessine sur le papier, en me souvenant de toutes les parties de peinture rouge écaillée. Ce n'est peut-être pas la même chose que d'avoir le coffre à outils dans les mains, mais au moins je sais maintenant que je ne l'oublierai pas.

Monsieur Léonard de Vinci approuverait sans aucun doute.

Je montre le dessin à grand-papa Felix et j'explique que j'ai dû vendre le coffre à outils de mon papa. Mais avant que le coffre à outils soit à mon papa, il appartenait à grand-papa Felix, et je m'inquiète qu'il s'en ennuie autant que moi. Mais tout ce qu'il dit est « humpf », et rien d'autre. Puis, il se lève de la table, retire un autre album de sa bibliothèque et le dépose sur mes genoux.

Je l'ouvre à la première page, mais il est vide. Aucune photo.

— C'est pour toi, dit-il en tapant l'album de ses jointures. Ton propre musée.

Je lance mes bras autour de son cou. Sa barbe érafle ma joue. Je chuchote dans son oreille :

— Merci, grand-papa.

Il me donne de petites tapes sur le dos et se racle la gorge.

— Maintenant, tu peux mettre le dessin de ton coffre à outils dedans. Et toutes les autres choses dont tu veux te souvenir, j'imagine.

Je mets la main dans ma poche et en sors la photo de mon papa qui était collée à l'intérieur de mon coffre à outils. Je la glisse dans l'album et je dis :

— Voici ta nouvelle maison, papa.

Mes plis de cerveau sont occupés à penser aux photos et aux dessins que je pourrais mettre dans mon nouveau musée. Pour que je me souvienne toujours et que je n'oublie jamais. Et l'un des plis de cerveau a dû crier « Patsy Cline » parce que je pense tout de suite à elle et à comment elle s'est retirée de mon musée.

Puis, je prends une autre feuille de papier de grand-papa et je commence un nouveau dessin. Pour que je puisse y mettre Patsy de nouveau.

*Pourquoi les musées sont importants pour moi
par Penelope Crumb*

Les musées sont importants pour moi parce qu'ils nous aident à nous souvenir de personnes, d'endroits et de choses qui sont arrivées. Et ils sont remplis de pensées. Le Musée d'histoire de Portwaller m'a fait penser aux personnes qui habitaient dans notre ville et à comment ils étaient, avec quels jouets ils jouaient et que le premier maire avait un nez minuscule, mais un corps vraiment gros. Et il portait aussi des lunettes. Elles étaient là dans le musée pour que tout le monde puisse les voir. (Ce qui est correct si la famille dit que c'est permis.)

Certains musées sont remplis de choses qui appartenaient à des personnes mortes. Mais d'autres musées sont remplis de choses de personnes qui ne sont pas encore mortes (mais qui le seront un jour) et de qui on devrait se souvenir parce qu'elles sont merveilleuses.

Je connais beaucoup de personnes dont on devrait se souvenir, même si leurs choses ne sont pas dans un musée. Mais je ne crois pas que les musées sont obligés d'être un immeuble ou même un placard. Ça peut être n'importe quoi, même un album de photos. Parce que les dessins et les photos peuvent nous aider à nous souvenir. Et comme ça, on n'oubliera jamais.

Fin

Remerciements

J'ai une bonne mémoire.

Je me souviens de toutes sortes de choses de mon enfance. Comme que j'aimais grignoter un bâtonnet de beurre à table. Et comment mon doigt est resté pris dans une porte pendant un voyage en camping lorsque j'avais sept ans et que mon ongle entier est tombé. Et d'avoir abattu un arbre dans notre cour pendant un blizzard. Et de changer mes chaussures et mon cardigan en arrivant à la maison après l'école pour que monsieur Rogers me laisse un jour habiter dans son quartier. Et d'avoir fait un panier pour ma mère pour la fête des Mères, où j'avais collé une photo de moi ainsi que des cheveux et une dent ensanglantée de ma collection. (Elle a encore ce panier.) Et de la fois où ma sœur m'avait emmenée au centre commercial pour aller sauter dans un de ces parcs gonflables et qu'elle m'avait laissée là.

Ma sœur dit que j'invente des choses.

Je pense qu'on a probablement raison toutes les deux. Mais ce que je n'oublierai jamais, ce sont les personnes qui m'ont aimée, soutenue et inspirée (ainsi que leur gardiennage très nécessaire) pendant l'écriture de ce livre. En particulier, ma mère, Heidi Potterfield, Jerry et Shirley Stout, MaryAnn Mundey, Carol Dowling, Lori Thibault, Amy Cabrera et Charlotte Hartley. Je remercie aussi mes amis écrivains et ma deuxième famille au Vermont College of Fine Arts, spécialement Jess Leader, Annemarie O'Brien, Micol Ostow, Gene Brenek, Mary Quattlebaum, Tami Lewis Brown, Sarah Aronson, Leda Schubert, Tim Wynne-Jones, Rita Williams-Garcia, Uma Krishnaswami et Kathi Appelt. Mes remerciements très spéciaux à Erin Loomis qui me fait rire jusqu'à ce que je pleure et qui est la seule autre personne que je connaisse qui partage mon amour profond des sandwichs frits au baloney, de John Denver et de l'équipement d'espionnage.

Je dois beaucoup de gratitude à Andy, pour son amour, son partenariat, ses encouragements et sa capacité à répondre à des questions comme « Comment on appelle un musée qui a des choses qui ne sont importantes que pour une personne ? Est-ce que ça existe ? ».

De gros remerciements à ma merveilleuse éditrice, Jill Santopolo, et à tout le monde chez Philomel qui ont fait de tout ça une expérience magnifique. Et à ma charmante agente, Sarah Davies, chez Greenhouse Literary Agency, merci d'avoir cru en moi.

N'oubliez pas de chercher Penelope
dans sa prochaine aventure !

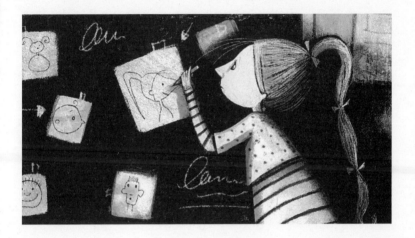

éditions

www.ada-inc.com
info@ada-inc.com

 www.facebook.com/EditionsAdA

 www.twitter.com/EditionsAdA